EN CONTEXTE

A1

EXERCICES DE
GRAMMAIRE

Anne Akyüz

Bernadette Bazelle-Shahmaei

Joëlle Bonenfant

Marie-Françoise Orne-Gliemann

hachette
FRANÇAIS LANGUE ÉTRANGÈRE

Nous avons fait notre possible pour obtenir les autorisations de reproduction des documents publiés dans cet ouvrage. Dans le cas où des omissions ou des erreurs se seraient glissées dans nos références, nous y remédierons dans les éditions à venir.

Conception graphique
Couverture : Christophe Roger
Intérieur : Eidos

Suivi éditorial
Olivier Martin

Réalisation
Mise en pages : Mediamax

Illustrations : p. 89 : Bruno David ; p. 91 : Caroline Jaegy

Enregistrements audio, montage et mixage
Quali'sons (David Hassici)

ISBN : 978-2-01-401632-1

© Hachette Livre 2019
58, rue Jean Bleuzen, CS 70007, 92178 Vanves Cedex
www.hachettefle.com

MODE D'EMPLOI

La notion grammaticale travaillée

Des objectifs fonctionnels pour utiliser la langue en situation de communication

Des exercices audio pour travailler la grammaire à l'oral

Des tableaux synthétiques avec un code couleur pour réviser les règles

Des mémos pour vous guider

Des exercices progressifs avec un lexique maîtrisé

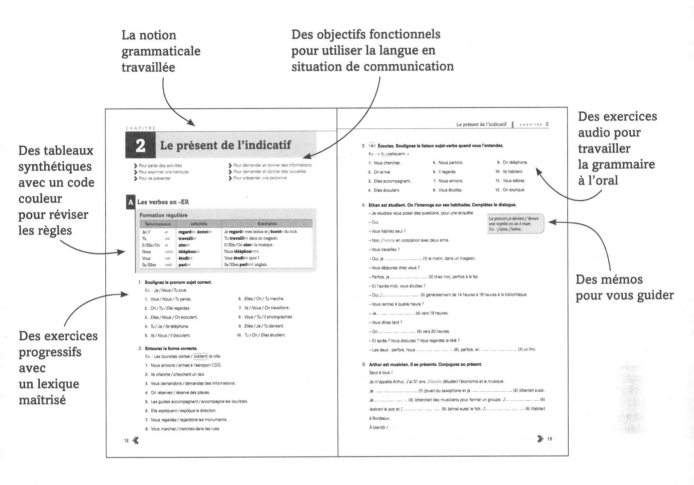

Des bilans en fin de chapitre

Les corrigés et les transcriptions des exercices audio

SOMMAIRE

Être et *avoir*
au présent de l'indicatif

❯ Pour indiquer la nationalité   ❯ Pour indiquer la profession

❯ Pour indiquer la situation de famille   ❯ Pour indiquer l'âge

A   Le verbe *être* et les pronoms sujets

ÊTRE		
Je	suis	étudiant(e).
Tu	es	médecin.
Il/Elle/On	est	journaliste.
Nous	sommes	employé(e)s.
Vous	êtes	commerçant(e)(s).
Ils/Elles	sont	retraité(e)s.

On utilise le pronom sujet *on* à la place de *nous* dans une situation familière orale ou écrite.

Ex. : *Nous sommes architectes. = On est architectes.*

1   **Soulignez la forme correcte du verbe *être*.**

     Ex. : Je <u>suis</u> / est canadien.

     1. Il *es* / *est* coréen.

     2. Elles *sommes* / *sont* mexicaines.

     3. Nous *sommes* / *êtes* espagnoles.

     4. Tu *suis* / *es* algérien.

     5. Elle *êtes* / *est* japonaise.

     6. Vous *êtes* / *sont* américains.

     7. Ils *êtes* / *sont* danois.

     8. On *est* / *sommes* français.

2   **Associez.**

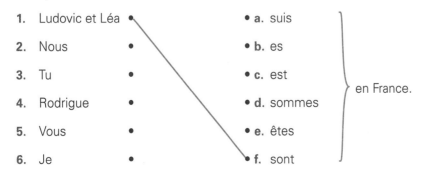

1. Ludovic et Léa •	• **a.** suis	
2. Nous •	• **b.** es	
3. Tu •	• **c.** est	en France.
4. Rodrigue •	• **d.** sommes	
5. Vous •	• **e.** êtes	
6. Je •	• **f.** sont	

3 **Indiquez si le *vous* est un *vous* collectif (plusieurs personnes) ou de politesse (une seule personne).**

	Collectif	Politesse
Ex. : Monsieur, vous êtes journaliste ?	☐	☑
1. Madame, vous êtes italienne ?	☐	☐
2. Luciano et Ali, vous êtes étudiants ?	☐	☐
3. Gaël, vous êtes médecin ?	☐	☐
4. Madame, vous êtes employée ici ?	☐	☐
5. Corina, Fabiana, vous êtes enseignantes ?	☐	☐
6. Monsieur, vous êtes commerçant à Paris ?	☐	☐
7. M. et Mme Ponge, vous êtes élégants !	☐	☐

4 🎧 02 **Écoutez et cochez la forme que vous entendez.**

Ex. : « Ils sont grecs. »

	Ex.	1	2	3	4	5	6	7	8	9	10
Il est…											
Ils sont…	✔										
Elle est…											
Elles sont…											

5 **Choisissez le pronom sujet correct.**

Ex. : *(Je - Il)* Je suis marié.

1. *(Nous - Vous)* .... êtes célibataires.

2. *(Elle - Tu)* .... es seul.

3. *(Ils - Vous)* .... sont divorcés.

4. *(Il - Tu)* .... est pacsé.

5. *(Ils - Nous)* .... sommes séparés.

6. *(Tu - Je)* .... suis veuf.

7. *(Tu - On)* .... est fiancés.

8. *(On - Nous)* .... est en couple.

6 **Complétez avec *être* au présent.**

Ex. : Je suis musicien.

1. Michel .... boulanger.

2. Tu .... chauffeur de taxi.

3. Caroline .... coiffeuse.

4. Ils .... employés de banque.

5. Vous .... médecin(s).

6. Brigitte .... photographe.

7. Nous .... professeurs.

8. Elles .... graphistes.

B Le verbe *avoir*

AVOIR		
J'	ai	3 ans.
Tu	as	10 ans.
Il/Elle/On	a	15 ans.
Nous	avons	18 ans.
Vous	avez	40 ans.
Ils/Elles	ont	70 ans.

7 **Complétez avec le pronom sujet correct.**

1. .... avez 16 ans.

2. .... ai 21 ans.

3. .... avons 36 ans.

4. Léon et Max, ... ont 41 ans.

5. Ma mère, ... a 50 ans.

6. Jean, ... a 68 ans.

8 **Entourez la forme correcte du verbe *avoir*.**

Ex. : Nous (avons) / *avez* un ordinateur.

1. Corentin *a / as* un téléphone portable.

2. Tu *ai / as* un sac.

3. Ils *avons / ont* une voiture.

4. Vous *avez / ont* un vélo.

5. J'*ai / a* un appareil photo.

6. Yasmine *a / as* des lunettes.

7. Léo et Marc *avez / ont* une moto.

8. On *ai / a* une trottinette électrique.

9 🎧 03 **Écoutez et cochez la forme que vous entendez.**

Ex. : « Ils ont 20 ans. »

	Ex.	1	2	3	4	5	6	7	8	9	10
Il a…											
Ils ont…	✔										
Elle a…											
Elles ont…											

10 **Faites des phrases avec *avoir* au présent.**

Ex. : *(Nous - un frère)* – Nous avons un frère.

1. *(Tu - trois sœurs)* ....

2. *(Vous - une tante)* ....

3. *(Elle - des cousins)* ....

4. *(On - un neveu)* ....

5. *(Ils - quatre nièces)* ....

6. *(Je - deux oncles)* ....

BILAN

1 Les phrases sont avec le verbe *être* ou avec le verbe *avoir* ? Cochez.

	être	avoir			être	avoir
1. On est vénézuéliens.	☐	☐	**6.** J'ai un téléphone portable.	☐	☐
2. Elles sont célibataires.	☐	☐	**7.** Elle est divorcée.	☐	☐
3. Il a trois frères.	☐	☐	**8.** Nous avons un fils.	☐	☐
4. Nous sommes formateurs.	☐	☐	**9.** Je suis électricien.	☐	☐
5. Vous avez des lunettes.	☐	☐	**10.** Ils ont 45 ans.	☐	☐

2 Complétez avec *a, est, ont* ou *sont*.

1. Marc .... pharmacien.

2. Ils .... fiancés.

3. Claire .... 20 ans.

4. Les enfants .... 15 ans.

5. Alain .... 42 ans.

6. Themba .... dentiste.

7. Mélissa .... employée.

8. Elles .... 18 ans.

9. Mes amis .... 27 ans.

10. Yves et Léa .... jeunes.

11. Mes parents .... retraités.

12. Elles .... irlandaises.

13. Marie .... un vélo.

14. Ils .... italiens.

15. Elles .... tunisiennes.

16. Ils .... une maison.

17. Ma voisine .... une sœur.

18. Clément .... jeune.

19. Anaïs .... étudiante.

20. Vanessa .... 39 ans.

3 Associez.

1. Léon •
2. Vous •
3. Je •
4. Tu •
5. Paul et moi •
6. Ils •
7. Manon •
8. Ursula et Lea •
9. J' •

• **a.** as un appartement.
• **b.** est infirmière.
• **c.** sont allemandes.
• **d.** a 40 ans.
• **e.** ont 60 ans.
• **f.** ai deux ordinateurs.
• **g.** êtes étudiants.
• **h.** suis russe.
• **i.** sommes suisses.

4 🎧 04 Écoutez et cochez la forme que vous entendez.

	1	2	3	4	5	6	7	8	9	10	11	12
Ils ont…												
Ils sont…												
Elles ont…												
Elles sont…												

BILAN

5 Des personnes se présentent sur Le Forum des voyages. Faites des phrases.

Le Forum des voyages

Destinations   Avions   Hôtels   Profils

Romy-CH
→ pharmacienne / 38 ans / suisse / célibataire
Je ....
....

PereiraFamilia
→ mariés / deux enfants / portugais
Nous ....
....

@NousDeux
→ jeunes / pacsés / une voiture
Nous ....
....

Ludo-Douala
→ programmeur / 43 ans / camerounais / divorcé
Je ....
....

6 Marlène va accueillir Kyle pendant son voyage en France. Ils se présentent. Complétez avec *être* ou *avoir* au présent.

19 h 41   87 %

Kyle
Bonjour Marlène ! Je .... étudiant. Je .... canadien.
J'..................... 23 ans. Vous .... un grand appartement ?
Vous .... une chambre pour moi à Strasbourg ?

Marlène
Salut, Kyle ! Je .... mariée avec Gustav. Nous .... deux
et nous .... une chambre pour toi. Je .... musicienne.
Mon mari .... chanteur. Tu .... un instrument de musique ?

Kyle
Oui, nous .... une famille de musiciens.
J'..................... une guitare.

2 Le présent de l'indicatif

❯ Pour parler des activités
❯ Pour exprimer une habitude
❯ Pour se présenter

❯ Pour demander et donner des informations
❯ Pour demander et donner des nouvelles
❯ Pour présenter une personne

A Les verbes en -ER

Formation régulière

Terminaisons		Infinitifs	Exemples
Je/J'	-e	**regard**er, **écout**er	Je **regarde** mes textos et j'**écoute** du rock.
Tu	-es	**travaill**er	Tu **travailles** dans un magasin.
Il/Elle/On	-e	**aim**er	Il/Elle/On **aime** la musique.
Nous	-ons	**téléphon**er	Nous **téléphonons**.
Vous	-ez	**étudi**er	Vous **étudiez** quoi ?
Ils/Elles	-ent	**parl**er	Ils/Elles **parlent** anglais.

1 Soulignez le pronom sujet correct.

Ex. : *Je / Nous / Tu* joue.

1. *Vous / Nous / Tu* parlez.
2. *On / Tu / Elle* regardes.
3. *Elles / Nous / On* écoutent.
4. *Tu / Je / Ils* téléphone.
5. *Ils / Nous / Il* discutent.

6. *Elles / On / Tu* marche.
7. *Ils / Nous / On* travaillons.
8. *Vous / Tu / Il* photographiez.
9. *Elles / Je / Tu* dansent.
10. *Tu / On / Elles* étudient.

2 Entourez la forme correcte.

Ex. : Les touristes *visites /* (*visitent*) la ville.

1. Nous *arrivons / arrivez* à l'aéroport CDG.
2. Ils *cherche / cherchent* un taxi.
3. Vous *demandons / demandez* des informations.
4. On *réserves / réserve* des places.
5. Les guides *accompagnent / accompagne* les touristes.
6. Elle *expliquent / explique* la direction.
7. Nous *regardez / regardons* les monuments.
8. Vous *marchez / marches* dans les rues.

3 🎧 *05* **Écoutez. Soulignez la liaison sujet-verbe quand vous l'entendez.**

Ex. : « Ils expliquent. »

1. Vous cherchez.

2. On arrive.

3. Elles accompagnent.

4. Elles écoutent.

5. Nous parlons.

6. Il regarde.

7. Nous aimons.

8. Vous étudiez.

9. On téléphone.

10. Ils habitent.

11. Vous adorez.

12. On explique.

4 **Ethan est étudiant. On l'interroge sur ses habitudes. Complétez le dialogue.**

– Je voudrais vous poser des questions, pour une enquête.

– Oui.

– Vous habitez seul ?

– Non, j'habite en colocation avec deux amis.

– Vous travaillez ?

– Oui, je _____ **(1)** le matin, dans un magasin.

– Vous déjeunez chez vous ?

– Parfois, je _____ **(2)** chez moi, parfois à la fac.

– Et l'après-midi, vous étudiez ?

– Oui, j'_____ **(3)** généralement de 14 heures à 18 heures à la bibliothèque.

– Vous rentrez à quelle heure ?

– Je _____ **(4)** vers 19 heures.

– Vous dînez tard ?

– On _____ **(5)** vers 20 heures.

– Et après ? Vous discutez ? Vous regardez la télé ?

– Les deux : parfois, nous _____ **(6)**, parfois, on _____ **(7)** un film.

> Le pronom *je* devient *j'* devant une voyelle ou un *h* muet.
> **Ex. :** *j'aime, j'habite...*

5 **Arthur est musicien. Il se présente. Conjuguez au présent.**

Salut à tous !

Je m'appelle Arthur. J'ai 31 ans. J'étudie *(étudier)* l'économie et la musique.

Je _____ **(1)** *(jouer)* du saxophone et je _____ **(2)** *(chanter)* aussi.

Je _____ **(3)** *(chercher)* des musiciens pour former un groupe. J'_____ **(4)** *(adorer)* le jazz et j'_____ **(5)** *(aimer)* aussi le folk. J'_____ **(6)** *(habiter)* à Bordeaux.

À bientôt !

Les verbes irréguliers en -ER

• Les verbes en *-cer, -ger*

COMMENCER	MANGER
Je **commence** à 8 heures.	Je **mange** au restaurant.
Tu **commences** lundi.	Tu **manges** beaucoup ?
Il/Elle/On **commence** demain.	Il/Elle/On **mange** tard.
Nous **commençons** aujourd'hui.	Nous **mangeons** à midi.
Vous **commencez** à quelle heure ?	Vous **mangez** où ?
Ils/Elles **commencent** vendredi.	Ils/Elles **mangent** du poisson.

Autres verbes sur le modèle de *commencer* : annoncer, placer, remplacer…
Autres verbes sur le modèle de *manger* : corriger, changer, partager, voyager…

6 **Complétez les dialogues.**

a. commencer, remplacer

– Votre mari et vous, vous commencez le travail à quelle heure le matin ?

– Nous .... **(1)**, en général à la même heure, à 8 heures.

Et toi, tu .... **(2)** tôt aussi ?

– Non, je .... **(3)** à 10 heures ou à 8 heures quand je .... **(4)**

une collègue.

– Ah ? Tu .... **(5)** souvent tes collègues ?

– Pendant les vacances.

b. changer, manger, voyager

– John, en Angleterre, vous .... **(6)** quoi au petit-déjeuner ?

– En général, les Anglais .... **(7)** des toasts, des œufs et du bacon.

Mais dans ma famille, nous .... **(8)** des céréales.

– Et quand tu .... **(9)**, tu .... **(10)** tes habitudes ?

– Oui, bien sûr. En France, je .... **(11)** du pain et de la confiture.

c. annoncer, partager

– J'ai une bonne nouvelle ! Hugo et moi, nous vous .... **(12)** notre prochain

mariage !

– Félicitations ! C'est formidable ! Vous avez décidé d'une date ? Vous la .... **(13)**

avec nous ?

– Pour le moment, nous n'avons pas fixé de date.

• **Les verbes** *appeler, acheter, compléter*

APPELER	ACHETER	COMPLÉTER
J'**appelle** un ami.	J'**achète** un cadeau.	Je **complète** le formulaire.
Tu **appelles** qui ?	Tu **achètes** des fleurs.	Tu **complètes** l'exercice ?
Il/Elle/On **appelle** un taxi.	Il/Elle/On **achète** un bijou.	Il/Elle/On **complète** la phrase.
Nous **appelons** un client.	Nous **achetons** du chocolat.	Nous **complétons** le document.
Vous **appelez** le médecin ?	Vous **achetez** des livres.	Vous **complétez** le dossier.
Ils/Elles **appellent** Claire.	Ils/Elles **achètent** une plante.	Ils/Elles **complètent** la fiche.

(!) Autres verbes sur le modèle d'*appeler* : épeler, jeter, rappeler…
Autres verbes sur le modèle d'*acheter* : lever, promener…
Autres verbes sur le modèle de *compléter* : espérer, préférer, répéter…

7 **Complétez les dialogues.**

   a. appeler

   – Madame, j'appelle un taxi ?

   – Non, vous _____ **(1)** monsieur Legras, et on _____ **(2)** un taxi après !

     Et nous _____ **(3)** aussi madame Bisuel.

   b. acheter

   – Qu'est-ce que vous _____ **(4)** pour l'anniversaire de Sébastien ?

   – Nous _____ **(5)** une montre. Et toi, qu'est-ce que tu _____ **(6)** ?

   – Une cravate. Et ses parents, ils _____ **(7)** quoi ?

   – Je ne sais pas.

   c. préférer, espérer

   – Vous _____ **(8)** partir aujourd'hui ou un autre jour ?

   – Nous, nous _____ **(9)** lundi. Et toi, tu _____ **(10)** quel jour ?

   – Moi, je _____ **(11)** mercredi. Et mes amis _____ **(12)** jeudi.

   – J'_____ **(13)** qu'on va se mettre d'accord.

8 (06) **Quelle forme se prononce différemment ? Écoutez et soulignez.**

   Ex. : app**e**lez / app**e**lons / app**e**lle

   1. compl**è**te / compl**é**ter / compl**è**tes   **6.** prom**è**ne / prom**e**nez / prom**e**nons

   2. préf**é**rons / préf**è**rent / préf**è**res   **7.** rép**è**tes / rép**é**tons / rép**è**tent

   3. rapp**e**lle / rapp**e**ler / rapp**e**llent   **8.** j**e**tte / j**e**ttent / j**e**ter

   4. ach**e**ter / ach**e**tons / ach**è**te   **9.** l**e**vons / l**è**ve / l**e**vez

   5. esp**è**re / esp**è**res / esp**é**rons   **10.** ép**e**ler / ép**e**lles / ép**e**lons

• **Les verbes** *payer* **et** *envoyer*

PAYER	ENVOYER
Je **paie**/**paye** par carte.	J'**envoie** un texto.
Tu **paies**/**payes** comment ?	Tu **envoies** une lettre.
Il/Elle/On **paie**/**paye** par chèque.	Il/Elle/On **envoie** un mél.
Nous **payons** la facture.	Nous **envoyons** un paquet.
Vous **payez** en espèces ?	Vous **envoyez** une photo ?
Ils/Elles **paient**/**payent** l'addition.	Ils/Elles **envoient** un message.

9 **Conjuguez au présent.**

a. payer

– Vous payez comment en général ?

– Je .... **(1)** avec ma carte de crédit.

– Et vous ?

– Nous, nous .... **(2)** aussi par carte.

– Qui .... **(3)** en espèces ?

– Moi !

b. envoyer

– Vous .... **(4)** beaucoup de

lettres en vacances ?

– Des lettres ? Non, j'............... **(5)**

surtout des méls. Et toi ?

– Moi aussi. Mes amis .... **(6)**

des textos.

• **Le verbe** *aller*

ALLER
Je **vais** à la gare.
Tu **vas** où ?
Il/Elle/On **va** bien.
Nous **allons** à Lille.
Vous **allez** comment ?
Ils/Elles **vont** au concert.

10 **Deux amis parlent du programme de leur soirée. Complétez avec** *aller* **au présent.**

> *Aller* est utilisé pour indiquer un déplacement.
> **Ex. :** *Je vais au bureau.*

– Qu'est-ce que tu fais ce soir ?

– Je vais chez des amis boire un verre et après nous .... **(1)** au théâtre.

– Tu .... **(2)** souvent au théâtre ?

– Moi, non, mais mes amis .... **(3)** au théâtre une fois par semaine.

– Vous .... **(4)** voir quoi ?

– Je ne sais pas. Et toi, avec Mathieu, vous .... **(5)** au restaurant ?

– Non, moi, je .... **(6)** au cinéma et Mathieu, il .... **(7)** chez ses parents.

11 **Transformez comme dans l'exemple.**

Ex. : Ton ami, comment il va ?

➔ Tes amis, comment ils vont ?

> *Aller* est utilisé pour demander et donner des nouvelles.
> **Ex. :** *Ça va ? Tu vas bien ?*

1. Et toi, tu vas bien ? ➔ Et vous, vous .... bien ?

2. Ils vont très bien. ➔ Il .... très bien.

3. Nous allons très mal. ➔ Je .... très mal.

4. Vous allez bien aujourd'hui ? ➔ Tu .... bien aujourd'hui ?

5. Moi, aujourd'hui, je vais mal. ➔ Nous, aujourd'hui, nous .... mal.

6. Comment est-ce qu'elle va ? ➔ Comment est-ce qu'elles .... ?

7. Tu vas comment ? ➔ Vous .... comment ?

8. Elle va bien ce matin. ➔ Ils .... bien ce matin.

B Les verbes en -IR

Les verbes sur le modèle de *finir*

FINIR
Je **finis** à 18 heures.
Tu **finis** ton travail.
Il/Elle/On **finit** très tard.
Nous **finissons** de manger.
Vous **finissez** cet exercice.
Ils/Elles **finissent** bientôt.

(!) Autres verbes sur le modèle de *finir* : choisir, réfléchir, remplir, réussir, rougir…

12 **Transformez comme dans l'exemple.**

Ex. : Tu finis vite ! ➔ Vous finissez vite !

1. Vous réussissez bien. ➔ Nous .... bien.

2. Nous choisissons avec vous. ➔ Je .... avec vous.

3. Elles réfléchissent tranquillement. ➔ On .... tranquillement.

4. Nous rougissons souvent. ➔ Vous .... souvent.

5. Je réfléchis un peu. ➔ Tu .... un peu.

6. Il remplit la fiche d'inscription. ➔ Ils .... la fiche d'inscription.

7. Ils finissent tard. ➔ Elle .... tard.

8. Vous choisissez une place. ➔ Elles .... une place.

Les verbes sur le modèle de *partir*

Terminaisons		PARTIR
Je	-s	Je **pars** à 8 heures.
Tu	-s	Tu **pars** maintenant ?
Il/Elle/On	-t	Il/Elle/On **part** en vacances.
Nous	-ons	Nous **part**ons ensemble.
Vous	-ez	Vous **partez** où ?
Ils/Elles	-ent	Ils/Elles **partent** mardi.

(!) Autres verbes sur le modèle de *partir* : dormir, sentir, servir, sortir…

13 **Deux amis sortent ce soir. Complétez les verbes.**

À *la maison* :

– Vous sortez ce soir ?

– Oui, on sor............ **(1)**, on va au cinéma.

– Vous par............ **(2)** maintenant ?

– On par............ **(3)** bientôt, et moi je ne dor............ **(4)** pas

à la maison ce soir. Mes sœurs dor............ **(5)** ici je pense.

Au restaurant :

– Vous ser............ **(6)** jusqu'à quelle heure ?

– Nous ser............ **(7)** jusqu'à 22 heures.

– Oh, ça sen............ **(8)** bon !

– Oui, vous sen............ **(9)** ? C'est une spécialité locale.

Le verbe *venir*

VENIR
Je **viens** avec mes amis.
Tu **viens** à la maison ?
Il/Elle/On **vient** en bus.
Nous **venons** ensemble.
Vous **venez** à pied.
Ils/Elles **viennent** ce soir.

(!) Autres verbes sur le modèle de *venir* : devenir, revenir…

14 **Complétez avec *venir* au présent.**

– Vous venez chez Sabine samedi soir ?

– Oui nous .... **(1)**, bien sûr. Et Jeanne et Mathilde aussi.

– Ah ! Elles .... **(2)** aussi ! C'est super ! Et vous .... **(3)** comment ?

– En bus, certainement.

– D'accord. Et demain, tu .... **(4)** en métro à l'exposition de peinture ?

– Non, demain je ne .... **(5)** pas, je reste à la maison. Mais Hélène .... **(6)**

avec sa voiture. Jeanne .... **(7)** à l'exposition, mais Mathilde ne .... **(8)** pas.

C Les verbes en -RE et en -OIR

Le verbe *faire*

FAIRE
Je **fais** un exercice.
Tu **fais** quoi ?
Il/Elle/On **fait** du sport.
Nous **faisons** la cuisine.
Vous **faites** de la musique ?
Ils/Elles **font** les courses.

15 **Entourez la forme correcte.**

Ex. : Je (*fais*) / *fait* du tennis.

1. Nous *faites* / *faisons* les courses.

2. Ils *fait* / *font* la cuisine.

3. Vous *faites* / *fais* la vaisselle ?

4. Elles *font* / *faites* la lessive.

5. On *faisons* / *fait* un gâteau.

6. Tu *fais* / *faites* du piano.

7. Vous *fais* / *faites* de la boxe ?

8. Je *fais* / *font* de la guitare.

9. Louis et Jeanne *fais* / *font* de la peinture.

10. Vous *fais* / *faites* les magasins.

16 **Deux amies parlent de leurs habitudes du week-end. Complétez avec *faire* au présent.**

– Qu'est-ce que tu fais le week-end ?

– Le samedi matin, avec mon ami Olivier, on .... **(1)** les courses et l'après-midi,

nous .... **(2)** du sport.

– Vous .... **(3)** quoi comme sport ?

– Moi, je .... **(4)** du hand-ball et lui, il .... **(5)** du basket.

– Vous .... **(6)** des compétitions ?

– Olivier et ses copains .... **(7)** souvent des matches mais moi, non.

– Et le dimanche ?

– On .... **(8)** le ménage !

Les verbes en -IRE : *lire, écrire* et *dire*

LIRE	ÉCRIRE	DIRE
Je **lis** souvent.	J'**écris** bien.	Je ne **dis** rien.
Tu **lis** des magazines ?	Tu **écris** quoi ?	Tu **dis** « oui ».
Il/Elle/On **lit** le journal.	Il/Elle/On **écrit** des textos.	Il/Elle/On **dit** « C'est bien ! ».
Nous **lisons** nos textos.	Nous **écrivons** sur un blog.	Nous **disons** « D'accord ! ».
Vous **lisez** quoi ?	Vous **écrivez** au tableau.	Vous **dites** souvent « non » !
Ils/Elles **lisent** des romans.	Ils/Elles **écrivent** mal.	Ils/Elles **disent** quoi ?

17 **Soulignez le pronom sujet correct.**

Ex. : *On / Il / <u>Tu</u>* écris.

1. *Vous / Nous / Je* lisons.

2. *On / Tu / Vous* dit.

3. *Je / Ils / Nous* écrivent.

4. *Ils / J' / Elle* écrit.

5. *Tu / Nous / Vous* dites.

6. *Elles / Nous / On* lisent.

7. *Je / Vous / Nous* lisez.

8. *Nous / Ils / On* écrivons.

9. *On / Je / Elle* lis.

18 **Conjuguez au présent.**

Ex. : Elle lit *(lire)* très vite.

1. Tu .... *(écrire)* bien.

2. Qu'est-ce que vous .... *(dire)* ?

3. Je .... *(lire)* un roman.

4. Ils .... *(lire)* un magazine.

5. Vous .... *(écrire)* à qui ?

6. On .... *(écrire)* une carte ou un mél ?

7. Qu'est-ce que vous .... *(lire)* ici ?

8. Pardon, tu .... *(dire)* quoi ?

Le verbe *mettre*

METTRE
Je **mets** une heure pour venir.
Tu **mets** longtemps ?
Il/Elle/On **met** dix minutes.
Nous **mettons** un manteau.
Vous **mettez** des lunettes pour lire.
Ils/Elles **mettent** un imperméable.

⚠ Autres verbes sur le modèle de *mettre* : permettre, promettre…

19 **Entourez la forme correcte.**

Ex. : Vous (mettez) / mettons combien de temps pour venir ici ?

> *Mettre* est utilisé pour indiquer le temps nécessaire pour faire quelque chose.
> **Ex. :** *Je mets 5 minutes pour venir.*

1. Moi, je *mets / met* une heure.

2. On *mettons / met* 40 minutes.

3. Elles *mettent / mettez* un quart d'heure.

4. Il *met / mets* 5 minutes.

5. Nous *mettent / mettons* une demi-heure.

6. Tu *met / mets* une heure et demie.

20 **Complétez avec *mettre* au présent.**

Ex. : Je mets une robe rouge.

> *Mettre* est utilisé avec des noms de vêtements ou d'accessoires.
> **Ex. :** *Je mets mon manteau.*

1. Nous .... des baskets pour courir.

2. On .... un jean aujourd'hui.

3. Ils .... un manteau parce qu'il fait froid.

4. Vous .... un anorak ?

5. Tu .... une cravate ce soir.

6. Elles .... une jupe noire.

Les verbes en -DRE sur le modèle de *prendre* et *attendre*

PRENDRE	ATTENDRE
Je **prends** cette casquette.	J'**attends** le bus.
Tu **prends** ce tee-shirt.	Tu **attends** l'arrivée de l'avion.
Il/Elle/On **prend** cette chemise.	Il/Elle/On **attend** un taxi.
Nous **prenons** ce sac.	Nous **attendons** le métro.
Vous **prenez** cette veste ?	Vous **attendez** le train.
Ils/Elles **prennent** des lunettes.	Ils/Elles **attendent** le car.

(!) Autres verbes sur le modèle de *prendre* : apprendre, comprendre…

Autres verbes sur le modèle de *attendre* : descendre, entendre, répondre…

---

21 **Masahiro, un étudiant japonais, parle de ses cours de français. Conjuguez au présent.**

– Vous apprenez *(apprendre)* une langue étrangère ?

– Oui, j'........................ **(1)** *(apprendre)* le français. Avec mon collègue,

nous .... **(2)** *(prendre)* un cours tous les matins.

– Et vous .... **(3)** *(comprendre)* facilement ?

– Parfois c'est difficile ! Mes collègues .... **(4)** *(prendre)* un cours d'arabe.

Loïc ne .... **(5)** *(comprendre)* pas bien, mais Luc et Louise

.... **(6)** *(comprendre)* bien.

22 **Complétez avec un verbe de la liste au présent.**

attendre • descendre • entendre • répondre

1. Tu attends un taxi ? – Non, j'.. le bus.

2. Ils .... à la question A et vous .... à la question B.

3. Tu .... la musique ? – Oui, oui, j'................................ .

4. Vous .... à pied ? – Non, je .... avec l'ascenseur.

5. Lucas .... dehors. Tu .... ouvrir la porte ?

6. Nous .... dans une minute vous rejoindre.

7. Elle ne .... pas correctement : ce n'est pas la bonne réponse.

8. Elles .... à toutes les questions.

Les verbes *savoir* et *connaître*

SAVOIR	CONNAÎTRE
Je **sais** chanter.	Je **connais** ton quartier.
Tu **sais** conduire ?	Tu **connais** la route ?
Il/Elle/On **sait** bien cuisiner.	Il/Elle/On **connaît** bien l'Italie.
Nous **savons** parler portugais.	Nous **connaissons** Venise.
Vous **savez** jouer au rugby ?	Vous **connaissez** ce magasin ?
Ils/Elles **savent** tout faire !	Ils/Elles **connaissent** ce musée.

(!) *Connaître* est suivi d'un nom.
Ex. : *Je connais **ce pays**.*

Savoir est généralement suivi d'un infinitif.
Ex. : *Je sais **conduire**.*

23 **Complétez avec *savoir* ou *connaître* au présent.**

1. Vous connaissez la ville mais vous ne .... pas comment venir.

2. Je .... conduire mais je ne .... pas la route.

3. Ils .... le magasin mais ils ne .... pas aller là-bas.

4. Nous .... jouer au rugby mais nous ne .... pas le stade ici.

5. On ne .... pas l'Italie mais on .... parler italien.

6. Tu .... utiliser Internet mais tu ne .... pas bien l'informatique.

7. Vous .... la région mais vous ne .... pas venir chez moi.

8. Elles .... très bien le quartier mais elles ne .... pas où se trouve ce restaurant.

Les verbes *devoir, pouvoir* et *vouloir*

DEVOIR	POUVOIR	VOULOIR
Je **dois** partir à 8 heures.	Je **peux** poser une question ?	Je **veux** dormir.
Tu **dois** réserver ton billet.	Tu **peux** répondre ?	Tu **veux** un gâteau ?
Il/Elle/On **doit** prendre le train.	Il/Elle/On **peut** rentrer ?	Il/Elle/on **veut** voyager.
Nous **devons** être à l'heure.	Nous **pouvons** écrire ?	Nous **voulons** rester.
Vous **devez** avoir un visa.	Vous **pouvez** répéter ?	Vous **voulez** un café ?
Ils/Elles **doivent** attendre.	Ils/Elles **peuvent** traduire ?	Ils/Elles **veulent** manger.

(!) Ces verbes sont souvent suivis d'un verbe à l'infinitif. **Ex. :** *Je peux **répondre** ?*
Le verbe *vouloir* est aussi suivi d'un nom. **Ex. :** *Il veut **un thé**.*

24 (07) **Écoutez et choisissez la forme correcte.**

Ex. : « Elle ne peut pas répondre. »

	Ex.	1	2	3	4	5	6	7	8	9	10
veux											
veut											
peux											
peut	✔										

25 **Soulignez la forme correcte.**

1. – Ils *veulent* / *voulons* venir avec nous ?

– Non, ils *devons* / *doivent* travailler.

2. – Tu *dois* / *doit* finir ce travail aujourd'hui ?

– Non, je *peux* / *peuvent* attendre demain.

3. – Tu *veulent* / *veux* rester un peu ?

– Non, impossible, je *doivent* / *dois* faire des courses.

4. – Vous *devez* / *doit* téléphoner tout de suite ?

– Non, on *peux* / *peut* envoyer un texto.

5. – Ils *doivent* / *doit* acheter à manger ?

– Pas ce soir, ils *voulons* / *veulent* aller au restaurant.

6. – Vous *veulent* / *voulez* lire ce livre ?

– Oui, nous *devez* / *devons* connaître l'histoire.

26 **Associez.**

- **a.** doivent répéter.

- **b.** veux poser une question.

- **c.** pouvez traduire.

- **d.** doit écouter le dialogue.

1. Je / Tu •

- **e.** voulez répondre.

- **f.** peux demander.

2. Il / Elle / On •

- **g.** peut sortir de la salle.

3. Nous •

- **h.** peuvent écrire.

4. Vous •

- **i.** devons lire.

5. Ils / Elles •

- **j.** devez regarder dans le dictionnaire.

- **k.** veulent prendre un cours.

- **l.** pouvons apprendre une langue.

27 **Mettez dans l'ordre.**

Ex. : tôt / Je / rentrer / dois • Je dois rentrer tôt.

1. danser / Tu / veux / ?

....

2. Nous / voyager / voulons

....

3. peuvent / avec nous / Ils / venir

....

4. On / du jazz / écouter / ici / peut

....

5. au restaurant / dîner / Elle / veut

....

6. les places / réserver / pouvez / Vous / ?

....

7. Vous / revenir / devez / avant minuit

....

28 **Conjuguez au présent.**

1. – Demain, je dois *(devoir)* partir tôt.

   – Tu .... *(vouloir)* un réveil ?

2. – Ils .... *(pouvoir)* entrer à 7 heures ?

   – Oui, mais ils .... *(devoir)* avoir la clé.

3. – Tu .... *(pouvoir)* traduire cette lettre ?

   – Désolé, je ne .... *(savoir)* pas où est mon dictionnaire !

4. – Ils .... *(vouloir)* t'aider.

   – C'est gentil, je .... *(vouloir)* bien.

5. – On .... *(devoir)* noter le numéro, vite !

   – Vous .... *(pouvoir)* prendre mon stylo.

D Les verbes pronominaux

SE RÉVEILLER
Je me réveille à six heures.
Tu te réveilles tôt.
Il/Elle/On se réveille à 7 heures.
Nous nous réveillons tard.
Vous vous réveillez à quelle heure ?
Ils/Elles se réveillent à 9 heures.

(!) Autres verbes pronominaux : s'amuser, s'appeler, se coucher, se dépêcher, se doucher, s'habiller, s'intéresser, se laver, se lever, se préparer, se promener…

29 **Des personnes parlent de leurs habitudes. Mettez dans l'ordre.**

Ex. : m' / Je / avec mes copains / amuse
Je m'amuse avec mes copains.

> Devant une voyelle et un *h* muet *me, te, se* deviennent *m', t', s'*.
> **Ex. :** *Je **m'**amuse, tu **t'**habilles, il **s'**appelle.*

1. se / Il / prépare / vite

   ....

2. Nous / à 6 heures / nous / levons ....

3. habillent / s' / Ils / rapidement ....

4. Ils / douchent / le soir / se ....

5. vous / couchez / Vous / très tôt ....

6. se / dans le parc / promène / On ....

7. vous / dans le jardin / Vous / reposez ....

30 **Associez les personnes aux activités. Complétez avec le pronom correct.**

1. Vous •   • **a.** .... reposons un peu.

2. Je •   • **b.** vous promenez souvent ici ?

3. On •   • **c.** .... amusent avec le ballon.

4. Tu •   • **d.** .... dépêche… Je dois partir.

5. Les enfants •   • **e.** .... levez à quelle heure ?

6. Nous •   • **f.** .... prépare vite. On a un rendez-vous.

7. Vous •   • **g.** .... réveilles tôt.

31 **Transformez comme dans l'exemple.**

Ex. : Je me douche. → Nous nous douchons.

1. Tu t'habilles. → Vous ....

2. Ils se préparent. → Je ....

3. Nous nous promenons. → Tu ....

4. Vous vous amusez. → On ....

5. Elle se couche. → Nous ....

6. On se lève. → Ils ....

7. Je m'intéresse au cinéma. → Vous .... au cinéma.

8. Tu te laves vite. → Elle .... vite.

32 **Complétez avec les verbes de la liste au présent.**

se doucher • s'amuser • se réveiller • se lever •
s'appeler • se dépêcher • s'habiller • se coucher

Ex. : Les enfants se lèvent à quelle heure pour aller à l'école ?

1. Gaspard, tu .... tôt le vendredi soir ?

2. Vous .... à quelle heure pendant la semaine ?

3. Quand il fait très chaud, je .... deux fois par jour.

4. Elle .... toujours avec des vêtements à la mode !

5. Quand il fait beau, ils .... un peu dans le jardin.

6. Quand vous êtes en retard à l'école, vous ....

7. Au collège, les élèves .... par leur surnom.

BILAN

1 Soulignez le verbe conjugué. Écrivez son infinitif.

1. Je sais cuisiner. ....
2. Ils doivent étudier. ....
3. Je préfère dormir. ....
4. Ils apprennent à nager. ....
5. On envoie un paquet. ....
6. J'entends un bruit. ....
7. On peut partir. ....
8. Elles appellent le médecin. ....
9. Ils sortent en discothèque. ....
10. Elles achètent un cadeau. ....
11. Vous finissez à 8 heures. ....
12. Vous dites quelque chose ? ....
13. Elles ne connaissent pas la ville. ....
14. Je mets 5 minutes pour venir. ....

2 Transformez les questions avec la personne indiquée.

1. Tu veux un thé ? → *(vous)* ....
2. Comment vous vous appelez ? → *(tu)* ....
3. Tu travailles ? → *(vous)* ....
4. Vous connaissez la France ? → *(tu)* ....
5. Vous vous levez à quelle heure ? → *(tu)* ....
6. Tu dois partir ? → *(vous)* ....
7. Vous attendez un peu ? → *(tu)* ....
8. Tu dis oui ou non ? → *(vous)* ....
9. Tu peux venir demain ? → *(vous)* ....
10. Tu te promènes avec moi ? → *(vous)* ....

3 Bénédicte parle à une collègue de ses habitudes de vacances. Conjuguez au présent.

– Comme tous les étés, Alain et moi, nous .... **(1)** *(aller)* dans les Pyrénées.

– Vous .... **(2)** *(faire)* du camping ?

– Non, nous .... **(3)** *(louer)* une maison pour deux semaines. En général,

nous .... **(4)** *(partir)* en voiture début août. On .... **(5)** *(mettre)*

10 heures environ pour faire la route.

– Vous .... **(6)** *(connaître)* des gens là-bas ?

– Non. Mais des amis .... **(7)** *(venir)* passer deux ou trois jours. Avec Alain,

ils .... **(8)** *(faire)* du vélo ou ils .... **(9)** *(se promener)*.

Moi, je .... **(10)** *(lire)*, j'...................................... **(11)** *(écrire)* à mes copines.

Nous .... **(12)** *(attendre)* ces vacances avec impatience !

4 Anaïs présente sa sœur. **Conjuguez au présent.**

1. Lisa et moi, nous .... (faire) les mêmes activités.

2. On .... (aimer) les mêmes couleurs.

3. Nous .... (vouloir) voyager ensemble.

4. Nous .... (partager) tout.

5. On .... (jouer) toutes les deux du piano.

6. Nous .... (commencer) et nous .... (finir) nos cours

à la même heure tous les jours.

7. On .... (apprendre) les mêmes langues.

8. Elle .... (s'intéresser) aux mêmes choses que moi.

5 L'école d'Hugo organise un échange avec une autre ville. Il écrit un mél à ses correspondants pour se présenter. **Conjuguez au présent.**

De :	hugomoretti@clubinternet.ch
À :	classefle@hotmail.fr
Objet :	Présentations

Bonjour,

Je .... (s'appeler) Hugo Moretti. Je .... (parler)

italien, allemand et anglais. J'............................ (étudier) le français à l'école.

J'............................ (habiter) à Berne. Mes parents .... (habiter)

à Lugano. À l'école, je .... (faire) du sport, de l'athlétisme.

J'............................ (aimer) aussi la musique, j'............................ (écouter)

du rock et de la musique pop. J'ai un grand frère : il .... (finir)

ses études au Canada. Il .... (vouloir) être avocat.

J'............................ (attendre) vos méls. Je .... (promettre)

de répondre à tous.

À bientôt !

Hugo

Les formes impersonnelles avec *il* – Le présentatif *c'est*

3

❯ Pour énumérer des choses
❯ Pour présenter une personne, une chose
❯ Pour indiquer l'heure, la météo

❯ Pour décrire une personne, une chose
❯ Pour exprimer la nécessité et l'interdiction
❯ Pour donner une opinion

Dans une forme impersonnelle, le sujet du verbe est le pronom *il* ou le pronom *ce/c'*. Ces pronoms ne représentent personne. Ce sont des formes neutres. **Ex. :** *Il fait chaud. C'est bien.*

A Les formes impersonnelles avec *il*

Pour indiquer l'existence d'une personne ou d'une chose et énumérer	**Il y a** + nom de personne ou de chose (masculin, féminin ou pluriel)	**Il y a** un nouveau directeur. À Nantes, **il y a** un théâtre.
Pour indiquer l'heure	**Il est**	**Il est** 9 heures. **Il est** tôt.
Pour indiquer la météo	**Il fait** ou **il** + verbe impersonnel	**Il fait** chaud. **Il** pleut.
Pour exprimer la nécessité (forme affirmative) ou l'interdiction (forme négative)	**Il faut** + nom ou infinitif **Il ne faut pas** + nom ou infinitif	**Il faut** un billet pour entrer. **Il ne faut pas** fumer.

1 Faites des phrases comme dans l'exemple.

Ex. : seize lignes de métro → À Paris, il y a seize lignes de métro.

1. six gares → ....

2. des parcs → ....

3. un fleuve → ....

4. trois montagnes → ....

5. beaucoup de musées → ....

6. la tour Eiffel → ....

2 🎧 08 **Écoutez et indiquez si le pronom *il* représente une personne ou une forme impersonnelle.**

Ex. : « Il fait chaud. »

	Ex.	1	2	3	4	5	6	7	8	9	10
il : une personne											
il : forme impersonnelle	✔										

3 Associez.

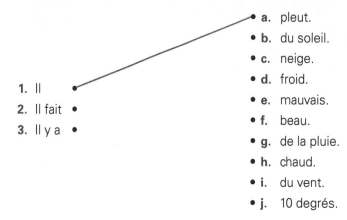

1. Il •
2. Il fait •
3. Il y a •

• **a.** pleut.
• **b.** du soleil.
• **c.** neige.
• **d.** froid.
• **e.** mauvais.
• **f.** beau.
• **g.** de la pluie.
• **h.** chaud.
• **i.** du vent.
• **j.** 10 degrés.

4 Mettez dans l'ordre.

Ex. : avoir / Il / du temps / faut • Il faut avoir du temps.

1. de l'argent / faut / Il

....

2. pas / avoir peur / Il / ne / faut

....

3. être / Il / curieux / faut

....

4. une langue étrangère / faut / Il / connaître

....

5. faut / ne / Il / pas / les papiers d'identité / oublier

....

6. pratiques / faut / Il / des vêtements

....

5 Transformez les consignes du professeur aux élèves comme dans l'exemple.

Ex. : On reste en groupe !
→ Il faut rester en groupe !

1. On se calme ! → ....

2. On attend au feu rouge ! → ....

3. On traverse au feu vert ! → ....

4. On marche doucement ! → ....

5. On fait attention aux voitures ! → ....

6. On attend les autres enfants ! → ....

B C'est, ce sont ou il est, ils sont ?

C'est, ce sont

Pour présenter et identifier	**C'est** + nom singulier **Ce sont** + nom pluriel	Regarde, **c'est** ma nouvelle maison ! Voici Zoé et Charles. **Ce sont** mes voisins.
Pour décrire de façon générale et donner une opinion	**C'est** + adjectif masculin	Les fleurs dans le jardin, **c'est** beau !

(!) Dans la langue familière, on utilise *c'est* à la place de *ce sont*. **Ex. :** *C'est mes voisins. C'est elles.*

6 **Complétez avec *C'est* ou *Ce sont*.**

Ex. : Ce sont des stylos.

1. .... une gomme.

2. .... ma clé USB.

3. .... des classeurs.

4. .... le sac à dos de Julien.

5. .... les affaires de Rémi.

6. .... une feuille.

7. .... un crayon.

8. .... des tables.

7 **Exprimez un avis avec un adjectif de la liste.**

grand • dangereux • cher • ~~beau~~ • pratique • haut

1. Le jardin est fleuri. C'est beau.

2. La maison coûte 850 000 euros. ....

3. Cette tour fait 456 mètres. ....

4. La maison fait 210 m². ....

5. J'habite à côté du métro. ....

6. Les voitures vont très vite. ....

Il est, ils sont / C'est, ce sont

Pour indiquer une profession	**Il est, elle est** + nom sans article	**Elle est** journaliste.
	C'est, ce sont + nom avec article	**C'est** une journaliste. **Ce sont** des amis.

8 **Soulignez la forme correcte.**

Ex. : *Ils sont* / *Ce sont* professeurs.

1. *Ils sont* / *Ce sont* des architectes.

2. *Ils sont* / *Ce sont* des médecins.

3. *Ils sont* / *Ce sont* chercheurs.

4. *Ils sont* / *Ce sont* des scientifiques.

5. *Ils sont* / *Ce sont* des artistes.

6. *Ils sont* / *Ce sont* acteurs.

7. *Ils sont* / *Ce sont* couturiers.

8. *Ils sont* / *Ce sont* des policiers.

9 **Associez.**

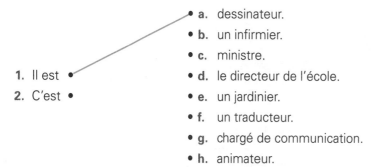

- **a.** dessinateur.
- **b.** un infirmier.
- **c.** ministre.
1. Il est •
- **d.** le directeur de l'école.
2. C'est •
- **e.** un jardinier.
- **f.** un traducteur.
- **g.** chargé de communication.
- **h.** animateur.

10 **Présentez ces personnes comme dans l'exemple.**

Ex. : chanteuse - chanteuse très connue

Anne ? Elle est chanteuse. C'est une chanteuse très connue.

1. comédiens - comédiens célèbres

Yves et Léo ? _____

2. cuisinier - cuisinier italien

Antonio ? _____

3. étudiants - étudiants irlandais

John et Arthur ? _____

4. poète - poète français

Lucas ? _____

5. écrivain - écrivain marocain

Karim ? _____

6. assistantes - assistantes compétentes

Léa et Anaïs ? _____

7. chauffeur de taxi - chauffeur de taxi formidable

Bruno ? _____

11 **Présentez ces personnes avec** *il est* / *elle est* **ou** *c'est***.**

Jacques, c'est mon père. _____ **(1)** garagiste.

Alain, _____ **(2)** son frère, _____ **(3)** mon oncle. _____ **(4)**

informaticien. _____ **(5)** un très bon informaticien.

Ludivine, _____ **(6)** ma sœur. _____ **(7)** enseignante. _____ **(8)**

une enseignante attentive et passionnée.

Pour moi, _____ **(9)** une sœur parfaite.

BILAN

1 Formes personnelles (P) ou impersonnelles (I) ? Cochez.

	P	I			P	I
1. Il voyage.	☐	☐	**7.** Il pleut.		☐	☐
2. Il est tard.	☐	☐	**8.** Il faut attendre.		☐	☐
3. Il fait mauvais.	☐	☐	**9.** Il est midi.		☐	☐
4. Il fait du vélo.	☐	☐	**10.** Il a du temps.		☐	☐
5. Il y a du vent.	☐	☐	**11.** Il fait chaud.		☐	☐
6. Il est musicien.	☐	☐	**12.** Il est en retard.		☐	☐

2 Associez. Plusieurs réponses sont possibles.

- **a.** mettre des lunettes de soleil.
- **b.** mes chaussures pour le week-end.
- **1.** Vite, il est •   • **c.** mon sac.
- **2.** Il faut •   • **d.** prendre des vêtements légers.
- **3.** C'est •   • **e.** 7 heures !
- **4.** Ce sont •   • **f.** chaud aujourd'hui.
- **5.** Il fait •   • **g.** les gants de Carole.
- **6.** Il y a •   • **h.** du vent.
- • **i.** partir maintenant.
- • **j.** l'anorak de Mathieu.

3 Relevez le numéro des formes impersonnelles dans ces présentations.

Kian est sportif **(1)**. Il fait du football **(2)** et il est aussi cycliste **(3)**. Aujourd'hui, il fait du vélo **(4)**.

C'est l'hiver **(5)** et il fait mauvais **(6)**. Il y a du vent **(7)** et il pleut **(8)**.

David est informaticien **(9)**. Il travaille dans une grande agence **(10)**. Ce matin, il marche vite **(11)**,

il n'est pas content **(12)** : il fait froid **(13)** et il est en retard **(14)**. Il a un rendez-vous à 10 heures **(15)**

et il est 9 h 30 **(16)**.

Alfonso est célibataire **(17)**. Il aime la nature **(18)**. L'été, il part seul en voyage **(19)**, il découvre

des régions magnifiques **(20)**. En général, il fait beau **(21)**, il y a du soleil **(22)**, il fait du camping **(23)**.

Il s'installe dehors le soir **(24)**, quand il n'est pas tard **(25)**. Mais quand il y a du vent **(26)**, ou quand

il y a un orage **(27)**, il passe la nuit dans un hôtel **(28)**.

Formes impersonnelles : ....

4 Soulignez la réponse correcte.

1. *Il est / Il fait* 9 heures, *il faut / il est* partir.

2. *Il y a / Il est* de la neige et *il fait / il est* froid.

3. *Il faut / Il fait* faire vite, *il est / il fait* tard.

4. Dans ma rue, *il y a / il est* un arrêt de bus.

5. Aujourd'hui, *il y a / il faut* du soleil et *il fait / il est* beau.

6. Excusez-moi, *il est / il fait* quelle heure ?

7. *Il faut / Il fait* un billet pour entrer au cinéma ?

8. Ce matin, *il ne fait pas / il ne faut pas* arriver en retard.

5 Complétez l'article sur la randonnée avec les mots de la liste.

c'est (× 3) • **il ne fait pas** • **ce sont** • **il fait** • **il faut** (× 2) • **il ne faut pas** • **il y a**

La randonnée en montagne, ... une activité formidable. L'été, ...

.... souvent beau et .... trop chaud : ....

agréable. .... des chaussures de sport confortables. En général, ...

.... courir parce que .... dangereux. ....

des chemins difficiles, ... faire attention. Pour moi, ...

des moments magnifiques !

L'interrogation **4**

❯ Pour poser des questions
❯ Pour demander des informations
❯ Pour demander des précisions
❯ Pour s'informer sur une personne ou une chose

A Question intonative et question avec *Est-ce que… ?*

Question intonative	Question avec *Est-ce que… ?*
Vous aimez le sport **?**	**Est-ce que** vous aimez le sport **?**
Elles font de la danse **?**	**Est-ce qu'**elles font de la danse **?**

1 Soulignez la forme correcte.

Ex. : *Est-ce que* / *Est-ce qu'* vous faites du vélo ?

1. *Est-ce que* / *Est-ce qu'* on va à la piscine ?

2. *Est-ce que* / *Est-ce qu'* Alice joue de la batterie ?

3. *Est-ce que* / *Est-ce qu'* tu aimes le sport ?

4. *Est-ce que* / *Est-ce qu'* vous lisez des bandes dessinées ?

5. *Est-ce que* / *Est-ce qu'* elles font du basket ?

6. *Est-ce que* / *Est-ce qu'* les enfants regardent un match ?

> Devant une voyelle ou un *h* muet, *que* devient *qu'*.

2 🎧09 Écoutez et indiquez si vous entendez une question ou une affirmation.

Ex. : « Yoko est japonaise. »

	Ex.	1	2	3	4	5	6	7	8	9	10
Question											
Affirmation	✔										

3 Transformez les questions avec *Est-ce que/qu'*.

Ex. : Tu aimes la cuisine japonaise ? → Est-ce que tu aimes la cuisine japonaise ?

1. Elle va à la piscine ? → _____

2. Tu prends des photos ? → _____

3. Vous chantez ? → _____

4. Ils visitent des expositions ? → _____

5. Vous allez souvent à l'opéra ? → _____

6. Tu prends des cours de dessin ? → _____

4 **Mettez dans l'ordre.**

Ex. : Est-ce que / le métro / Pierre / prend / ? • Est-ce que Pierre prend le métro ?

1. il / Est-ce qu' / le dimanche / travaille / ? ....

2. allez / vous / Est-ce que / à la boulangerie / ? ....

3. la cuisine / fais / tu / Est-ce que / ? ....

4. achètent / sur Internet / Est-ce qu' / elles / ? ....

5. ils / tard / Est-ce qu' / rentrent / ? ....

6. Est-ce que / téléphonez / vous / beaucoup / ? ....

B Les mots interrogatifs

Qui, que (qu'est-ce que), quoi

Qui	**Qui** tu connais ici ? – Je connais Paul et Hiromi.
À qui	**À qui** vous écrivez ? – À nos amis Clément et Anissa.
Que (Qu'est-ce que)	**Qu'est-ce qu'**il boit ? – Un café.
Quoi	Tu écoutes **quoi** ? – Une chanson de Stromae.

5 **Transformez les questions avec *Qu'est-ce que/qu'*.**

Ex. : Tu lis quoi ? → Qu'est-ce que tu lis ?

1. Elle écoute quoi ? → ....

2. Vous regardez quoi ? → ....

3. Il prend quoi ? → ....

4. Marion apporte quoi ? → ....

5. On fait quoi ? → ....

6. Les enfants préparent quoi ? → ....

7. Ils photographient quoi ? → ....

6 **Associez les réponses à la question correcte.**

                                     • **a.** La salle de réunion.

                                      • **b.** L'hôtesse d'accueil.

                                      • **c.** La photocopieuse.

1. C'est qui ? •   • **d.** Le bureau de la comptable.

2. C'est quoi ? •   • **e.** Ma collègue Stéphanie.

                                      • **f.** Le directeur.

                                      • **g.** La cafétéria.

                                      • **h.** Mon ordinateur.

7 **Posez des questions sur les achats avec *qui* ou *quoi*.**

Ex. : Elles essaient des baskets. Elles essaient quoi ?

1. Elle veut un sweat-shirt bleu. ....

2. Nous regardons les vitrines. ....

3. Il va au magasin avec sa copine. ....

4. Elle choisit pour son amie. ....

5. Vous achetez cette robe. ....

6. Il demande à la vendeuse. ....

7. On commande ces chaussures sur Internet. ....

8 **Une famille est au restaurant. Complétez les questions avec *qui*, *qu'* ou *quoi*.**

Ex. : Qu'est-ce que vous voulez en entrée ?

1. Avec le poisson, ... est-ce que vous souhaitez boire ?

2. Les enfants, vous voulez .... en dessert ?

3. C'est .... la spécialité du chef ?

4. .... est-ce que vous me conseillez ?

5. .... prend un café ?

6. .... paye aujourd'hui ?

Où, quand, comment, pourquoi, combien (de)

Où	**Où** il va en vacances ? – À Saint-Malo.
Quand	Vous partez **quand** ? – Demain.
Comment	**Comment** est-ce que tu vas à ton bureau ? – En métro.
Pourquoi	**Pourquoi** tu apprends le français ? – Parce que la langue est belle. Pour voyager.
Combien/ Combien de	**Combien** est-ce que ça coûte ? – 55 euros. Il y a **combien de** personnes ? – Je ne sais pas, 20 peut-être.

9 **Choisissez le mot interrogatif correct.**

	Où ?	Quand ?	Comment ?	Pourquoi ?	Combien ?
Ex. : On part **dans le sud de l'Italie.**	☑	☐	☐	☐	☐
1. Elle rentre **la semaine prochaine.**	☐	☐	☐	☐	☐
2. Je préfère l'avion **parce que c'est rapide.**	☐	☐	☐	☐	☐
3. Nous avons **trois semaines de vacances.**	☐	☐	☐	☐	☐
4. Le camping ferme **fin octobre.**	☐	☐	☐	☐	☐
5. Il voyage toujours **en train.**	☐	☐	☐	☐	☐
6. L'hôtel est **près de la gare.**	☐	☐	☐	☐	☐

10 Édouard interroge Luis sur son prochain voyage. Complétez avec *où, quand, comment, pourquoi* ou *combien (de)*.

Ex. : **Comment** est-ce que tu vas à Bruxelles ?

1. .... est-ce que tu prends le train ? À la gare du Nord ?

2. .... est-ce que vous revenez ? Mardi ou mercredi ?

3. .... est-ce que vous prenez la voiture et pas le train ?

4. .... valises est-ce qu'on peut emporter ?

5. En mai, en juin, en juillet ? .... est-ce que tu pars ?

6. .... est-ce que vous dormez ? À l'hôtel ou chez des amis ?

7. C'est cher, le billet ? Ça coûte .... ?

C Demander une précision

Qu'est-ce que … comme … ? / … quoi comme … ?

Langue courante	Langue familière
Qu'est-ce que tu fais **comme** sport ?	Tu fais **quoi comme** sport ?

11 Transformez les demandes de précision avec *Qu'est-ce que/qu'* ou *quoi* comme dans l'exemple.

Ex. : Qu'est-ce que tu veux comme cadeau ? → Tu veux quoi comme cadeau ?

1. Qu'est-ce que tu choisis comme parfum ?

→ ....

2. Il lit quoi comme roman ?

→ ....

3. Qu'est-ce que vous écoutez comme radio ?

→ ....

4. Qu'est-ce que tu aimes comme musique ?

→ ....

5. Elles préfèrent quoi comme bijoux ?

→ ....

6. Il a quoi comme voiture ?

→ ....

7. Qu'est-ce qu'ils regardent comme séries ?

→ ....

12 🎧 **Écoutez et indiquez si vous entendez une question en langue courante ou en langue familière.**

Ex. : « Qu'est-ce que tu aimes comme voiture ? »

	Ex.	1	2	3	4	5	6	7	8	9	10
Langue courante	✔										
Langue familière											

Quel / Quelle / Quels / Quelles... ?

	Masculin	Féminin
Singulier	**Quel** est votre numéro de téléphone ?	**Quelle** est votre adresse ?
Pluriel	Vous avez **quels** diplômes ?	Vous voulez **quelles** informations ?

13 **Soulignez la forme correcte.**

Ex. : *Quel* / *Quels* sac ?

1. *Quelle* / *Quel* dictionnaire ?

2. *Quelles* / *Quels* livres ?

3. *Quelles* / *Quelle* lunettes ?

4. *Quelle* / *Quelles* photo ?

5. *Quelle* / *Quel* cahier ?

6. *Quels* / *Quel* classeurs ?

7. *Quel* / *Quelle* tablette ?

8. *Quelles* / *Quelle* pages ?

14 **Complétez avec *quel*, *quelle*, *quels* ou *quelles*.**

Ex. : Quelle est votre profession ?

1. .... sports est-ce que vous pratiquez ?

2. .... est ton numéro de téléphone ?

3. J'ai 38 ans, et vous, vous avez .... âge ?

4. .... est votre date de naissance ?

5. Tu connais .... employés ici ?

6. Tu travailles pour .... entreprise ?

7. Vous cherchez .... informations exactement ?

8. Ils ont choisi .... chemin pour venir ?

15 **Complétez avec *quel, quelle, quels* ou *quelles*.**

Tu mets

1. quelles boucles d'oreille et .... collier ?

2. .... bracelets et .... bagues ?

3. .... ceinture et .... pantalon ?

4. .... chaussettes et .... chaussures ?

5. .... gants et .... écharpe ?

6. .... veste et .... cravate ?

7. .... pulls et .... manteaux ?

8. .... robe et .... chemise ?

9. .... lunettes et .... chapeau ?

10. .... jupe et .... baskets ?

16 **Mettez dans l'ordre.**

1. meilleure / est / Quelle / la / boulangerie / ?

....

2. quel / vous / parc / vous promenez / Dans / ?

....

3. vous / Quels / préférez / musées / ?

....

4. faites souvent / promenades / Quelles / vous / ?

....

5. Vous / quels / conseillez / restaurants / ?

....

6. monuments / vous / aimez visiter / Quels / ?

....

7. quelle / boutique / achetez / des vêtements / Dans / vous / ?

....

8. café / vous / beaucoup / fréquentez / Quel / ?

....

BILAN

1 **Associez les questions de même sens.**

1. Qu'est-ce que tu lis ?   •

2. Quelle est ta nationalité ?   •

3. Tu es né quand ?   •

4. Où est-ce que vous habitez ?   •

5. Tu t'appelles comment ?   •

6. Elle est sportive ?   •

7. Vous avez des enfants ?   •

8. Tu bois quoi ?   •

9. Qui est avec elle ?   •

10. Avec qui est-ce que vous travaillez ?   •

• **a.** Quelle est ta date de naissance ?

• **b.** Vous êtes père de famille ?

• **c.** Elle est avec qui ?

• **d.** Quel est le titre de ton livre ?

• **e.** Est-ce qu'elle fait du sport ?

• **f.** Tu viens de quel pays ?

• **g.** Qui sont vos collègues ?

• **h.** Quel est ton nom ?

• **i.** Quelle est votre adresse ?

• **j.** Qu'est-ce que tu veux comme boisson ?

2 **Écrivez la question avec le mot interrogatif donné et *est-ce que*.**

1. Carole lit un journal anglais. *Pourquoi* → ....

2. Julien va au lycée. *Comment* → ....

3. Brigitte rentre à la maison. *Quand* → ....

4. Antoine joue au tennis. *Où* → ....

5. Il y a 30 personnes dans la salle. *Combien de* → ....

6. Julie part en vacances. *Quand* → ....

7. Hugo apprend le russe. *Pourquoi* → ....

8. Nora téléphone souvent. *À qui* → ....

9. Ça coûte 95 euros. *Combien* → ....

3 **Posez des questions sur Léo et Éva avec un mot interrogatif et *est-ce que*.**

1. Léo arrive mercredi. ....

2. Il va au bureau en métro. ....

3. Il termine son travail demain. ....

4. Elle s'appelle Éva. ....

5. Elle va au cinéma ce soir. ....

6. Elle vit avec Léo. ....

7. Ils ont quatre enfants. ....

8. Ils habitent à Rome. ....

4 Renaud va chez Lucas le week-end prochain. Complétez les textos.

Le train arrive à quelle heure ? • Tu peux venir à la gare ? • Il peut loger chez toi ? •
Est-ce que tu viens avec Corine ? • Qui est John ?

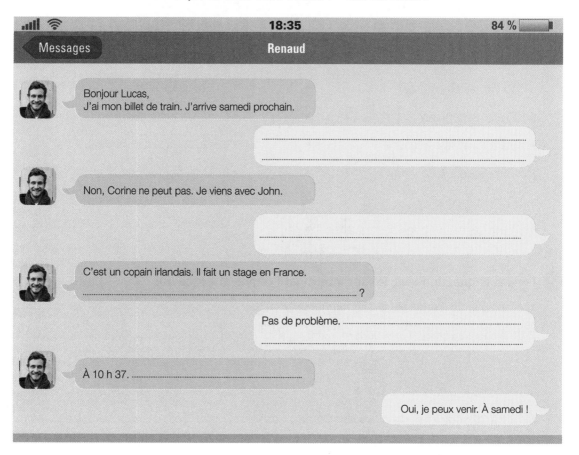

5 Un couple recherche une jeune fille au pair. Complétez les questions posées aux candidates.

Questions	Réponses
1. .... vous vous appelez ?	Louise Dupin.
2. .... est votre âge ?	18 ans.
3. Vous habitez .... ?	Dans le centre de Nantes.
4. .... vous faites à Paris ?	Je suis étudiante.
5. .... profession vous voulez faire ?	Professeur de dessin.
6. .... vous voulez faire du baby-sitting ?	Parce que j'aime les enfants.
7. .... vous avez l'habitude des enfants ?	Oui, j'ai deux petits frères.
8. Vous aimez faire .... avec eux ?	Jouer et dessiner.
9. Vous êtes libre .... ?	En fin de journée et le soir.
10. .... jours ?	Le lundi et le mercredi.

La négation | 5

❯ Pour refuser une proposition

❯ Pour exprimer un désaccord

❯ Pour exprimer une interdiction

❯ Pour exprimer ses goûts

A La négation *ne (n')* ... *pas*

Place de la négation avec un seul verbe

Avec le verbe *être*	Je **ne** **suis** **pas** français. Elle **n'est** **pas** contente.
Avec *c'est/ce sont*	Ce **n'est** **pas** un livre. Ce **ne** **sont** **pas** des journaux.
Avec le verbe *avoir*	Je **n'ai** **pas** le temps.
Avec les autres verbes	Tu **ne** **viens** **pas** avec nous ?

(!) Devant une voyelle et un *h* muet, *ne* devient *n'*.
On ne prononce pas toujours le *e* de *ne* devant une consonne. **Ex. :** *Je n(e) suis pas français.*
On ne prononce pas toujours le *ne* de la négation. **Ex. :** *Je (ne) suis pas français.*

1 **Milo pose des questions sur la petite amie de Max. Répondez de façon négative.**

Ex. : Elle est grande ? – Non, elle n'est pas grande.

1. Elle est jeune ? – Non, ...

2. Elle est sportive ? – Non, ...

3. Elle est étudiante ? – Non, ...

4. Elle est blonde ? – Non, ...

5. Elle est française ? – Non, ...

6. Elle est européenne ? – Non, ...

2 **Mettez dans l'ordre.**

Ex. : est / Il / agréable / n' / pas • Il n'est pas agréable.

1. patiente / Je / ne / pas / suis ....

2. n' / amusante / Elle / est / pas ....

3. sympathiques / Ils / ne / pas / sont ....

4. contents / êtes / n' / pas / Vous ....

5. Elle / est / n' / généreuse / pas ....

6. Ils / intelligents / ne / pas / sont ....

7. heureux / ne / Nous / pas / sommes ....

❯❯ 43

3 **Choisissez et écrivez une phrase avec *ce n'est pas*.**

amusant • cher • poli • rapide • ~~difficile~~ • original

Ex. : Tu ne comprends pas ? Ce n'est pas difficile !

1. Pourquoi tu ris ? ....

2. Deux heures pour faire 1 kilomètre ? ....

3. Les pieds sur la table ? ....

4. Seulement 2 euros pour ce beau livre ? ....

5. Un sandwich au jambon ? ....

4 **Répondez de façon négative.**

1. C'est excellent ?   – Non, ce n'est pas excellent.

   – C'est nul ?   – .... C'est moyen.

2. C'est rouge ?   – ....

   – C'est vert ?   – .... C'est jaune.

3. C'est carré ?   – ....

   – C'est rectangulaire ?   – .... C'est rond.

4. C'est tiède ?   – ....

   – C'est froid ?   – .... C'est chaud.

5. Ce sont des magazines ?   – ....

   – Ce sont des journaux ?   – .... Ce sont des revues.

6. Ce sont des bols ?   – ....

   – Ce sont des verres ?   – .... Ce sont des tasses.

5 **Répondez de façon négative avec *ne* ou *n'*.**

Ex. : Vous jouez au golf ?   – Non, je ne joue pas au golf.

1. Tu veux écouter cette chanson ?   – Non, je .... aime pas cette musique.

2. On peut prendre la voiture ?   – Non, mes parents .... sont pas d'accord.

3. Il reste avec nous ?   – Non, il .... peut pas.

4. À qui tu offres des fleurs ?   – Je .... offre pas de fleurs !

5. Tu peux m'expliquer ?   – Désolé, je .... comprends pas.

6. Vous prenez un verre avec nous ?   – Non, nous .... avons pas le temps.

7. Vous aimez vivre ici ?   – On .... habite pas là !

6 **M. et Mme Bonneau vont chez des amis. Répondez de façon négative.**

Ex. : Chéri, tu as les fleurs ? – Non, je n'ai pas les fleurs.

1. Tu as le numéro de téléphone ? – Non, ...

2. Tu as l'adresse exacte ? – Non, ...

3. Tu as le nom de la rue ? – Non, ...

4. Tu as le plan de la ville ? – Non, ...

5. Tu as le code de la porte ? – Non, ...

6. Tu as le gâteau ? – Non, ...

7 **Dites le contraire pour présenter la star mystérieuse.**

La star qui dit tout		*La star mystérieuse*
Ex. : Elle parle aux journalistes.	→	Elle ne parle pas aux journalistes.
1. Elle accepte les interviews.	→	....
2. Elle passe à la télé.	→	....
3. Elle aime les séances photos.	→	....
4. Elle signe les autographes.	→	....
5. Elle sourit aux gens.	→	....
6. Elle raconte sa vie.	→	....

8 🎧 (11) **Écoutez et indiquez si les phrases sont des affirmations ou des négations.**

Ex. : « Il n'aime pas sortir le soir. »

	Ex.	1	2	3	4	5	6	7	8	9	10
Affirmation											
Négation	✔										

9 **Le directeur s'informe sur les candidats. Conjuguez les verbes au présent.**

– Combien de candidats est-ce qu'il y a pour le poste de responsable de programme

« Séjours linguistiques » ?

– J'ai une candidate et un candidat. La candidate a 25 ans, elle a un diplôme de commerce mais

elle ne parle pas *(ne pas parler)* l'espagnol et elle .... **(1)** *(ne pas connaître)*

le tourisme. Le candidat, lui, c'est une catastrophe ! Il .... **(2)** *(ne pas aimer)*

les jeunes, il .... **(3)** *(ne pas utiliser)* l'ordinateur, il .... **(4)**

(ne pas comprendre) l'anglais, il .... **(5)** *(ne pas savoir)* conduire et

il .... **(6)** *(ne pas voyager)* !

10 **Répondez aux questions d'un enfant à son père de façon négative.**

Ex. : Dis papa, la lune, elle dort ?
– Mais non, elle ne dort pas.

1. Le soleil, il respire ?

– Mais non, ...

2. Le vent, il parle ?

– Mais non, ...

3. Les nuages, ils jouent ?

– Mais non, ...

4. Les étoiles, elles pleurent ?

– Mais non, ...

5. Le ciel, il rit ?

– Mais non, ...

6. La pluie, elle danse ?

– Mais non, ...

7. La neige, elle chante ?

– Mais non, ...

Place de la négation avec un verbe + infinitif

Je	ne	**veux**	pas	**prendre** un taxi.
Michel	ne	**peut**	pas	**finir** le travail avant 6 heures.
Nous	ne	**savons**	pas	**répondre** à toutes les questions.
Vous	ne	**devez**	pas	**rentrer** après minuit.
Il	ne	**faut**	pas	**fumer** ici.

11 **Des touristes visitent un château, le guide rappelle ce qui est interdit. Transformez avec** *il ne faut pas.*

Ex. : On ne prend pas de photos ! → Il ne faut pas prendre de photos !

1. On ne parle pas fort ! ....

2. On ne touche pas aux tableaux ! ....

3. On ne va pas dans le parc seul ! ....

4. On ne marche pas sur l'herbe ! ....

5. On ne passe pas par cet escalier ! ....

6. On ne mange pas dans les salles ! ....

12 **Mettez dans l'ordre.**

Ex. : ne / tard / Je / pas / rentrer / dois • Je ne dois pas rentrer tard.

1. danser / pas / Je / sais / ne

....

2. Nous / au cinéma / aller / ne / pas / voulons

....

3. peuvent / Julie et Adrien / pas / ne / venir / avec nous

....

4. On / écouter du jazz / dans ce bar / peut / ne / pas

....

5. au restaurant / dîner / Natacha / ne / pas / veut

....

6. ne / pas / réserver / pouvez / Vous / les places

....

7. Vous / pas / revenir / ne / devez / après minuit

....

Place de la négation avec les verbes pronominaux

Je	ne	**me repose**	pas.
Hélène	ne	**se maquille**	pas.
Vous	ne	**vous amusez**	pas.

13 **Soulignez le verbe pronominal. Puis complétez avec la négation.**

Ex. : Normalement je me rase, mais pendant les vacances je ne me rase pas.

1. Tu te promènes beaucoup, mais .... seule la nuit.

2. On s'habille bien pour aller au travail, mais le week-end .... comme

les autres jours.

3. Elle se maquille quand elle sort, mais quand elle reste à la maison ....

4. Nous nous reposons dans le jardin, mais quand les enfants crient ....

5. En général, vous vous levez tôt, mais en ce moment, ...

6. Danny et John s'amusent le week-end, mais ce week-end ....

7. Dounia se coiffe tous les matins, mais le week-end ....

B La négation *ne (n') ... personne*

Vous connaissez **tout le monde** ici ?	– Non, je **ne** connais **personne**.
Elle parle **à qui** ?	– Elle, elle **ne** parle **à personne**.
Tu invites **quelqu'un** ce soir ?	– Non, je **n'**invite **personne**.

14 **Mettez dans l'ordre.**

Ex. : voyons / ne / Nous / personne
Nous ne voyons personne.

1. a / ici / Il / n' / personne / y

_____

2. connaissez / dans votre immeuble / ne / personne / Vous ?

_____

3. attend / ce soir / Elle / n' / personne

_____

4. ne / Elle / à personne / parle

_____

5. écoutent / n' / Ils / personne

_____

6. ne / Vous / avec personne / discutez

_____

15 **Répondez de façon négative.**

Ex. : Vous invitez quelqu'un ce soir ? – Non, nous n'invitons personne, nous sommes fatigués.

1. Tu entends quelqu'un ? – Non, je _____

2. Elle travaille avec tout le monde ? – Non, elle _____, c'est dommage.

3. Pardon, vous cherchez quelqu'un ? – Non, je _____, merci.

4. Ils écrivent à qui ? – Ils _____

5. Elle téléphone à qui ? – Elle _____, pourquoi ?

6. Vous connaissez tout le monde ici ? – Non, nous _____, et vous ?

7. Tu pars avec quelqu'un ? – Non, je _____

C La négation *ne (n') ... rien*

Il voit **quelque chose** ?	– Non, il **ne** voit **rien**.
Vous prenez **tout** ?	– Non, je **ne** prends **rien**.
Qu'est-ce que vous entendez ?	– Nous **n'**entendons **rien**.

16 **Répondez avec *ne (n') ... rien*.**

Ex. : Tu comprends tout, toi ? – Non, je ne comprends rien, vraiment rien.

1. Vous voulez quelque chose ?

– Non, nous ...., nous regardons seulement.

2. Qu'est-ce qu'il mange au petit-déjeuner ?

– Lui, il ....

3. Elle a quelque chose pour moi ?

– Non, elle .... pour toi.

4. Tu as soif, tu prends quelque chose ?

– Non merci, je ....

5. Vous achetez quoi ?

– Nous ...., c'est trop cher.

6. Tu aimes tout ici ?

– Non, je ...., c'est horrible !

7. Vous voyez quelque chose là-bas ?

– Non, nous ...., qu'est-ce qu'il y a ?

17 **Complétez avec un verbe de la liste.**

dire • ~~entendre~~ • faire • acheter • manger • voir • comprendre

Ex. : Il y a du bruit, alors il n'entend rien.

1. Il n'écoute pas, alors il ....

2. Il n'aime pas parler, alors il ....

3. Il n'a pas ses lunettes, alors il ....

4. Il est fatigué, alors il ....

5. Il n'a pas faim, alors il ....

6. Il n'a pas d'argent, alors il ....

BILAN

1 Gustave n'est pas très sympathique. Mettez dans l'ordre.

1. aller / au théâtre / Il / ne / pas / peut ....

2. la pièce / Il / veut / ne / pas / voir ....

3. ici / personne / Il / connaît / ne ....

4. Il / ne / mes copains / pas / parle / avec ....

5. rien / faut / lui dire / ne / Il ....

6. personne / ne / Il / à / se présente ....

7. Ce / est / très facile / n' / pas ....

2 Complétez les phrases avec *ne ... pas, ne ... personne* ou *ne ... rien.*

1. Tu .... parles à .... !

2. Tu .... aimes .... !

3. Tu .... écoutes .... !

4. Tu .... achètes .... !

5. Tu .... dis .... !

6. Tu .... invites .... !

7. Tu .... organises .... !

8. Tu .... travailles .... !

9. Alors, je .... reste .... avec toi. Je pars !

3 Une touriste est à Marseille. Un jeune homme commence à lui parler.
Complétez avec *ne ... pas, ne ... rien* ou *ne ... personne.*

– Pardon mademoiselle, vous attendez quelqu'un ?

– Non, ... **(1)**

– Vous n'êtes pas française, n'est-ce pas ?

– Non, c'est vrai, je .... **(2)**

– Mais vous parlez parfaitement français !

– Vous êtes gentil, mais je .... très bien français **(3)**.

– Vous travaillez ?

– Non, je .... **(4)**

– Alors, vous êtes étudiante ?

– Non, ... **(5)**

– Vous restez longtemps à Marseille ?

– Non, je .... longtemps, seulement une semaine **(6)**.

– Ah, c'est bien, vous êtes libre ce soir ?

– Non, je regrette, je .... **(7)**

– Et ce week-end, vous faites quelque chose ?

– Non, je .... **(8)**

– Alors, si vous le voulez, je vous invite au cinéma !

4 **Johan et Zoé sont en séjour linguistique. Zoé n'est pas d'accord avec Johan. Transformez le mél de Johan à la forme négative.**

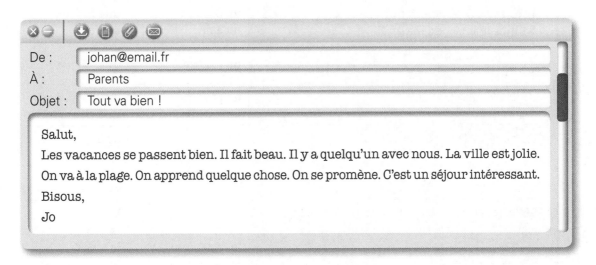

De : johan@email.fr
À : Parents
Objet : Tout va bien !

Salut,
Les vacances se passent bien. Il fait beau. Il y a quelqu'un avec nous. La ville est jolie.
On va à la plage. On apprend quelque chose. On se promène. C'est un séjour intéressant.
Bisous,
Jo

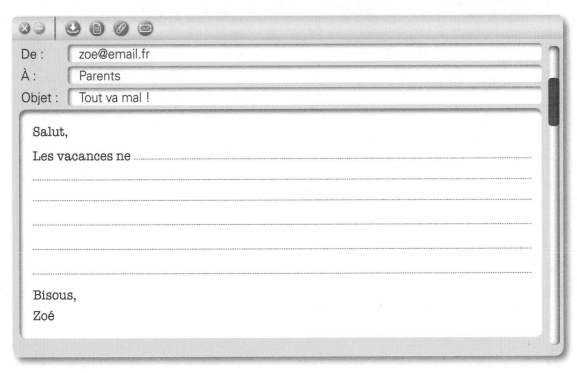

De : zoe@email.fr
À : Parents
Objet : Tout va mal !

Salut,
Les vacances ne ....

....

....

....

....

....

Bisous,
Zoé

6 Le nom et l'article

❯ Pour donner une information

❯ Pour parler d'une personne, d'une chose

❯ Pour énumérer des choses

❯ Pour exprimer ses goûts

A Le masculin et le féminin du nom

Pour les personnes

	Masculin	Féminin
RÈGLE GÉNÉRALE **Pour former le nom féminin,** **on ajoute un -e au masculin.**	**un** Suédois **un** ami	**une** Suédoi**e** **une** ami**e**
Un nom masculin terminé par un *-e* a la même forme au féminin.	**un** touriste	**une** touriste
Parfois, la consonne finale double.	**un** paysa**n** **un** pharmacie**n**	**une** paysa**nne** **une** pharmacie**nne**
Parfois, toute la syllabe finale change.	**un** boulang**er** **un** chant**eur** **un** act**eur** **un** sport**if**	**une** boulang**ère** **une** chant**euse** **une** act**rice** **une** sport**ive**
Les noms de parenté ont une forme très différente au masculin et au féminin.	**le** père **l'**oncle **le** frère **le** mari **le** fils	**la** mère **la** tante **la** sœur **la** femme **la** fille

1 **Soulignez la forme correcte.**

Ex. : Ma femme est *boulanger / boulangère*.

1. Mon cousin est *comédienne / comédien*.

2. Ma mère est *avocate / avocat*.

3. Ma fille est *présentateur / présentatrice*.

4. Mon fils est *vendeuse / vendeur*.

5. Ma cousine est *informaticien / informaticienne*.

6. Ma tante est *chanteuse / chanteur*.

7. Mon oncle est *infirmier / infirmière*.

8. Mon frère est *conducteur / conductrice*.

2 **Qui parle ? Un homme (H), une femme (F), un homme ou une femme (H/F) ? Cochez.**

	F	H	H/F
Ex. : Je suis pâtissier.	☐	✔	☐
1. Je suis journaliste.	☐	☐	☐
2. Je suis président.	☐	☐	☐
3. Je suis pilote.	☐	☐	☐
4. Je suis ouvrier.	☐	☐	☐
5. Je suis boulangère.	☐	☐	☐
6. Je suis coiffeuse.	☐	☐	☐
7. Je suis dentiste.	☐	☐	☐
8. Je suis secrétaire.	☐	☐	☐
9. Je suis architecte.	☐	☐	☐

3 **Transformez les noms de profession au masculin ou au féminin.**

Nom masculin	*Nom féminin*
Ex. : infirmier	infirmière
1.	photographe
2. contrôleur	....
3.	assistante
4. boucher	....
5.	employée
6. libraire	....
7.	pharmacienne
8. violoniste	....
9.	actrice
10. médecin	....

4 🎧 12 **Écoutez et indiquez si les noms sont masculins, féminins ou les deux.**

Ex. : « Allemand »

	Ex.	1	2	3	4	5	6	7	8	9	10
Masculin	✔										
Féminin											
Masculin / féminin											

5 **Indiquez si le nom est masculin (M) ou féminin (F). Associez les noms de parenté.**

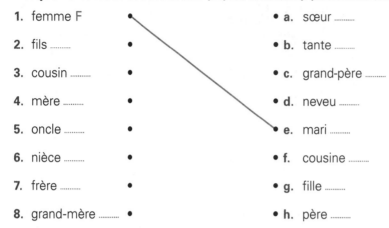

1. femme F • • a. sœur ....
2. fils .... • • b. tante ....
3. cousin .... • • c. grand-père ....
4. mère .... • • d. neveu ....
5. oncle .... • • e. mari ....
6. nièce .... • • f. cousine ....
7. frère .... • • g. fille ....
8. grand-mère .... • • h. père ....

Pour les choses

Il n'y a pas de règle. Les noms de choses peuvent être masculins ou féminins. Les noms terminés par -e sont souvent féminins. Il faut apprendre le nom avec son article : *un problème, une fleur, une maison, un livre...*

Noms généralement masculins	– les noms en **-age**	**un** nu**age**, **un** bag**age**, **un** from**age** *mais : une page, une image, une plage...*
	– les noms en **-phone**	**un** télé**phone**, **un** smart**phone**...
Noms généralement féminins	– les noms en **-sion, -tion** – les noms en **-té** – beaucoup de noms en **-eur**	**la** télévi**sion**, **une** solu**tion**, **une** no**tion** **la** propre**té**, **la** san**té** **la** coul**eur**, **la** p**eur**...

6 **Classez ces noms.**

~~circulation~~ • identité • mariage • odeur • profession • quantité • valeur • visage

Féminin : circulation, ...

Masculin : ....

7 **Indiquez si les noms de vêtements sont masculins (M) ou féminins (F).**

		M	F			M	F
1.	pantalon	☑	☐	7.	ceinture	☐	☐
2.	cravate	☐	☐	8.	écharpe	☐	☐
3.	chemise	☐	☐	9.	chapeau	☐	☐
4.	pull	☐	☐	10.	robe	☐	☐
5.	manteau	☐	☐	11.	chaussure	☐	☐
6.	jupe	☐	☐	12.	short	☐	☐

8 Les noms suivants se terminent par *-e*. Indiquez s'ils sont masculins (M) ou féminins (F).

1. téléphone : M

2. verre : ....

3. table : ....

4. peigne : ....

5. parapluie : ....

6. livre : ....

7. boîte : ....

8. magazine : ....

9. chaussure : ....

10. chaise : ....

11. tasse : ....

12. chèque : ....

13. carte : ....

14. dentifrice : ....

15. bouteille : ....

16. veste : ....

B Le singulier et le pluriel du nom

	Singulier	Pluriel
RÈGLE GÉNÉRALE **Pour former le nom pluriel,** **on ajoute un -s au nom singulier.**	un ordinateur une étudiante	des ordinateur**s** des étudiante**s**
Les noms terminés par -s, -x ou -z ne changent pas au pluriel.	un pay**s** la voi**x** le ne**z**	des pay**s** des voi**x** les ne**z**
Quelques noms en *-al* et en *-ail* se terminent par -aux au pluriel.	un anim**al** un trav**ail**	des anim**aux** des trav**aux**
En général, les noms terminés en *-au*, *-eau* et *-eu* prennent un -x au pluriel.	un chât**eau** un f**eu**	des chât**eaux** des feu**x**

(!) *Un œil / des yeux.*

9 Barrez l'intrus.

Ex. : assistante - ~~guides~~ - réceptionniste

1. directeurs - acteur - professeurs

2. hôpital - journaux - local

3. lieux - cheveux - jeu

4. parfums - film - examen

5. tableaux - chapeau - gâteau

6. retour - jours - amour

7. château - bateaux - bureau

8. robe - veste - chemises

9. maisons - télévision - pantalon

10. cousin - frères - sœur

10 Mettez ces noms au pluriel.

Ex. : local → locaux

1. provincial → provinci..............

2. lieu → li..............

3. cadeau → cad..............

4. neveu → nev..............

5. manteau → mant..............

6. journal → journ..............

7. feu → f..............

8. chapeau → chap..............

9. cheveu → chev..............

10. bureau → bur..............

11. cheval → chev..............

12. travail → trav..............

11 (13) **Écoutez et indiquez si les noms sont singuliers, pluriels ou les deux.**

Ex. : « animaux »

	Ex.	1	2	3	4	5	6	7	8	9	10
Singulier											
Pluriel	✔										
Singulier / pluriel											

12 **Complétez la description de la ville avec les noms au pluriel.**

– Dans la ville, il y a une rue, un hôpital, un château, une église, un canal, un autobus, un magasin,

un garage, un parc, une place, un café, une université, une gare ?

– Non, dans la ville, il y a des rues, des _____ , des _____ ,

des _____ , des _____ , des _____ , des _____ ,

des _____ , des _____ , des _____ , des _____ ,

des _____ , des _____ .

C L'article indéfini et l'article défini

Dans la phrase affirmative

	Masculin	Féminin	Pluriel
Article indéfini Pour parler d'une personne ou d'une chose non précisées	**un** garçon **un** continent	**une** fille **une** ville	**des** enfants **des** pays
Article défini Pour parler d'une personne ou d'une chose précises Pour parler d'une notion générale	**le** garçon **le** continent **le** sport	**la** fille **la** ville **la** géographie	**les** enfants **les** pays **les** arts

13 **Joanna a fait la liste de mariage de sa fille. Entourez l'article correct.**

– Bonjour monsieur. Voici la liste de mariage de ma fille.

– Oui, je vous écoute.

– Bon, *une /* (un) canapé, **(1)** *une / des* lampes, **(2)** *un / une* table basse, **(3)** *des / une* fauteuils,

(4) *une / des* bibliothèque, **(5)** *un / une* lit, **(6)** *des / une* table ronde, **(7)** *un / des* chaises,

(8) *des / une* armoire et **(9)** *un / une* bureau ancien.

14 **Norbert part souvent en voyage. Il liste les objets qu'il prend avec lui. Complétez avec un article indéfini.**

Quand je pars en voyage, dans ma valise, il y a des pantalons, **(1)** .... chemises, **(2)** .... veste,

(3) .... pull, **(4)** .... chaussettes, **(5)** .... sous-vêtements, **(6)** .... trousse de toilette,

(7) .... serviette, **(8)** .... brosse, **(9)** .... ordinateur, **(10)** .... raquette de tennis

et **(11)** .... balles, **(12)** .... vélo et **(13)** .... chaussures. Il y a aussi **(14)** .... stylo,

(15) .... cahier et bien sûr **(16)** .... livres.

15 **Complétez la description de l'appartement de David avec un article défini.**

Dans mon appartement, l'entrée est bleue, **(1)** .... salon est blanc,

(2) .... cuisine est rose, **(3)** .... toilettes sont noires,

(4) .... salle de bains est verte, **(5)** .... chambre est violette,

(6)........... salle à manger est orange, **(7)** .... bureau est rouge.**(8)** .... terrasse est multicolore et

(9) .... escalier est jaune. Oui, j'aime **(10)** .... couleurs !

> Devant une voyelle ou un *h* muet, *le* et *la* deviennent *l'*.

16 **Associez l'article au nom.**

- • **a.** garçon
- • **b.** dame
- **1.** le •
- • **c.** filles
- **2.** l' •
- • **d.** enfant
- **3.** la •
- • **e.** homme
- **4.** les •
- • **f.** femmes
- • **g.** bébé
- • **h.** personnes âgées

- • **i.** jardin
- • **j.** escaliers
- **5.** un •
- • **k.** terrasse
- • **l.** cave
- **6.** une •
- • **m.** murs
- **7.** des •
- • **n.** fenêtres
- • **o.** parking
- • **p.** toit

Dans la phrase négative

L'article défini ne change pas.	L'article indéfini devient *de* ou *d'*.
Vous avez **le** temps ? – Non, on **n'a pas le** temps.	Vous faites **un** voyage ? – Non, on **ne** fait **pas de** voyage.
Tu aimes **l'**hiver ? – Non, je **n'**aime **pas l'**hiver.	Il a **des** amis ? – Non, il **n'a pas d'**amis.

17 **Louis exprime ses goûts. Complétez avec un article.**

J'aime...

le soleil, ... mer **(1)**, ... bateaux **(2)**, ... ciel bleu **(3)**, ... tranquillité **(4)**, ... sandales **(5)**.

Je n'aime pas...

.... pluie **(6)**, ... ville **(7)**, ... voitures **(8)**, ... ciel gris **(9)**, ... bruit **(10)**, ... bottes **(11)**.

18 **Répondez de façon négative.**

Ex. : Il a des cheveux blancs ? – Non, il n'a pas de cheveux blancs.

1. Il a une barbe ? – Non, _____

2. Il a des lunettes ? – Non, _____

3. Il a une moustache ? – Non, _____

4. Il porte un pull ? – Non, _____

5. Il porte une veste ? – Non, _____

6. Il porte des gants ? – Non, _____

7. Il porte des bottes ? – Non, _____

19 **Répondez de façon négative.**

Ex. : Tu reçois des amis ? – Non, je ne reçois pas d'amis.

1. Tu fais des courses ? – Non, je _____

2. Tu passes un examen ? – Non, je _____

3. Tu fais un voyage ? – Non, je _____

4. Tu rencontres des copains ? – Non, je _____

5. Tu regardes un film ? – Non, je _____

6. Tu organises une fête ? – Non, je _____

7. Tu fais un pique-nique ? – Non, je _____

20 **Sophia a un cadeau pour sa sœur. Répondez de façon négative.**

Ex. : C'est un parfum ?
– Non, ce n'est pas un parfum.

> Avec *ce n'est pas/ce ne sont pas*, on garde *un, une, des*.
> **Ex. :** *C'est un enfant, **ce n'est pas un** adulte !*

1. Ce sont des roses ? – Non, ce _____

2. C'est un bijou ? – Non, ce _____

3. C'est un livre ? – Non, ce _____

4. C'est une robe ? – Non, ce _____

5. C'est un sac ? – Non, ce _____

6. Ce sont des places de spectacle ? – Non, ce _____

C'est un voyage au Maroc !

D L'article contracté avec les prépositions *à* et *de*

à		de	
Je vais demander	**à la** secrétaire. **à l'**employé. **au** directeur. **aux** étudiants.	C'est le bureau	**de la** secrétaire. **de l'**employé. **du** directeur. **des** étudiants.
Je vais	**à la** banque. **à l'**opéra. **au** café. **aux** toilettes.	Je viens	**de la** banque. **de l'**opéra. **du** café. **des** toilettes.

21 **Soulignez la forme correcte.**

Ex. : Aujourd'hui, Antoine est *à la / <u>à l'</u>* université.

1. Mon fils joue *à la / au* football.

2. Elle assiste *à l' / au* concert.

3. Ils partent *à la / au* campagne.

4. Je vais *au / à la* club de gym.

5. On reste *à la / au* maison.

6. Tu m'accompagnes *à l' / au* hôpital.

7. Nous allons *à la / au* restaurant japonais.

8. Mes enfants jouent *aux / à les* jeux vidéo.

22 **Complétez les parties du corps. Puis associez.**

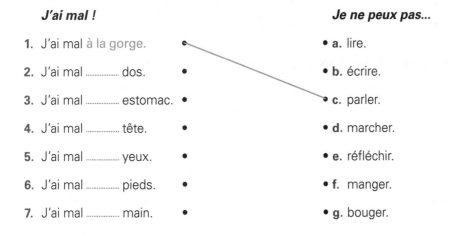

J'ai mal !

1. J'ai mal à la gorge. •

2. J'ai mal .... dos. •

3. J'ai mal .... estomac. •

4. J'ai mal .... tête. •

5. J'ai mal .... yeux. •

6. J'ai mal .... pieds. •

7. J'ai mal .... main. •

Je ne peux pas...

• **a.** lire.

• **b.** écrire.

• **c.** parler.

• **d.** marcher.

• **e.** réfléchir.

• **f.** manger.

• **g.** bouger.

23 **Soulignez la forme correcte.**

Ex. : Il vient <u>de la</u> / du gare.

1. Elle part *du / de le* bureau à 8 heures.

2. Il arrive *de l' / du* aéroport à 20 heures.

3. Nous sortons *de l' / du* musée.

4. Vous venez *des / de les* grands magasins.

5. Elles arrivent *de l' / de la* station de métro.

6. Ils sortent *de l' / de la* église.

24 **Transformez comme dans l'exemple.**

Ex. : la voiture / le voisin → la voiture du voisin

1. le dictionnaire / l'élève → ....

2. la robe / la mariée → ....

3. le livre / le professeur → ....

4. les tablettes / les étudiants → ....

5. l'agenda / la directrice → ....

6. l'appareil photo / le touriste → ....

25 **a. Associez les objets aux personnes correspondantes.**

1. le cartable •   • **a.** la jeune femme

2. le sac à main •   • **b.** les touristes

3. le violon •   • **c.** l'écolier

4. les ordinateurs •   • **d.** le dessinateur

5. les passeports •   • **e.** les informaticiens

6. les plans •   • **f.** le musicien

7. les pinceaux •   • **g.** le peintre

b. Répondez avec la préposition *à* ou la préposition *de*.

1. Le cartable ? Il est à l'écolier.

2. Le sac à main ? Il est ....

3. C'est le violon ....

4. Les ordinateurs ? Ils sont ....

5. Ce sont les passeports ....

6. Ce sont les plans ....

7. Les pinceaux ? Ils sont ....

1 Classez les aliments et les ustensiles. Ajoutez *un*, *une* ou *des*.

confiture • fruits • café • gâteaux • verre • sucre • œufs • assiettes •
crêpe • bananes • serviettes • tartes • fromages • pain • tasse •
bouteille • plats • menu • orange • pommes

Féminin singulier	Féminin pluriel	Masculin singulier	Masculin pluriel
....	....	....	....
....	....	....	....
....	....	....	....
....	....	....	....
....	....	....	....
....	....	....	....

2 Deux amies regardent un album photos. Complétez le dialogue avec un article.

– Ici, c'est .... **(1)** mariage ?

– Oui, c'est .... **(2)** mariage important. C'est .... **(3)** mariage de mon fils !

– Et là, c'est .... **(4)** télévision ? Elle est bizarre.

– Tu as raison, c'est .... **(5)** télévision très ancienne. C'est .... **(6)** télévision de ma grand-mère !

– Et ça, ce sont .... **(7)** disques ?

– Ben, oui, ce sont .... **(8)** disques. Ce sont .... **(9)** disques de la mère de mon grand-père.

Ce sont .... **(10)** antiquités !

3 Complétez les dialogues avec un article.

1. Où sont .... clés de .... voiture ?

    – Sur .... table dans .... entrée !

2. J'ai .... problème à mon travail, je cherche .... avocat.

    – .... femme de Charles est avocate, voilà sa carte.

3. Bonjour madame, je cherche .... grand fauteuil.

    – .... fauteuil ici, vous aimez ?

4. Où se trouve .... bureau .... directeur ?

    – Il est en haut de .... escalier.

5. Je cherche .... informations sur Jacques Prévert.

    – Regardez dans .... bibliothèque, à droite.

BILAN

4 Pendant ses vacances, Morgane envoie une carte postale à ses grands-parents. Complétez avec un article.

Chère mamie, cher papi,

Je suis actuellement en Crète. Je passe .... vacances merveilleuses ici. .... mer est idéale, je me baigne tous .... jours et je joue .... volley sur .... plage. Véro, elle, reste à .... hôtel, elle préfère lire. Elle lit .... livre sur .... histoire de .... île. Elle n'aime pas .... soleil, elle ne met pas .... maillot de bains !

Nous allons souvent .... restaurant et nous mangeons .... fruits de mer délicieux.

Nous prenons .... avion de 14 heures après-demain pour rentrer à Lyon.

J'espère que vous allez bien.

Je vous embrasse.

Morgane

5 Dans cet institut, des affiches indiquent le matériel des salles. Transformez les formes du singulier au pluriel ou du pluriel au singulier.

Institut de langues

1er étage

Salle Maxime Chattam

- les documents de référence

- des dossiers

- une machine à café

- les imprimantes

- un dictionnaire

- la photocopieuse

- des classeurs

- les cartes géographiques

3e étage

Salle Saphia Azzedine

- ....

- ....

- ....

- ....

- ....

- ....

- ....

- ....

Les adjectifs démonstratifs et les adjectifs possessifs

7

> ❯ Pour désigner une chose, une personne ou un lieu
> ❯ Pour caractériser une chose, une personne ou un lieu

> ❯ Pour indiquer un moment précis
> ❯ Pour indiquer l'appartenance

A Les adjectifs démonstratifs

On utilise l'adjectif démonstratif pour désigner une personne, une chose, un lieu, un moment.

Masculin singulier	ce	Donnez-moi **ce livre**, s'il vous plaît.
Si le nom commence par une voyelle ou un *h* muet	cet	Comment fonctionne **cet ordinateur** ?
Féminin singulier	cette	Combien coûte **cette tablette** ?
Pluriel	ces	Je voudrais **ces écouteurs**, s'il vous plaît.

1 **Soulignez l'adjectif démonstratif correct.**

Ex. : Ils regardent *ce* / <u>*ces*</u> films.

1. Ils adorent *ce* / *cet* tableau.

2. Ils admirent *cette* / *ces* statues.

3. Ils préfèrent *cet* / *cette* sculpture.

4. Ils détestent *ce* / *cette* œuvre d'art.

5. Elles écoutent *ces* / *cet* chansons.

6. Elles assistent à *ces* / *ce* concert.

7. Elles aiment bien *cette* / *ces* exposition.

8. Elle apprécie *ce* / *cette* musée.

9. Elle aime *ce* / *cette* salle de concert.

10. Ils connaissent *ce* / *cet* monument.

2 🎧 14 **Écoutez et entourez la bonne orthographe des lieux de la ville.**

Ex. : « ces rues » ➜ rue / (rues)

1. boulevard / boulevards

2. immeuble / immeubles

3. maisons / maison

4. magasin / magasins

5. restaurant / restaurants

6. hôtel / hôtels

7. monuments / monument

8. église / églises

9. avenues / avenue

10. bar / bars

3 **Associez les adjectifs démonstratifs aux personnes correspondantes.**

- **a.** voisin est gentil.
- **b.** cuisinier est célèbre.
- **c.** animateur n'est pas drôle.
1. Ce
- **d.** étudiant travaille bien.
2. Cet
- **e.** ministre est connu.
3. Cette
- **f.** actrice ne joue pas bien.
4. Ces
- **g.** gens ne sont pas généreux.
- **h.** architecte n'est pas original.
- **i.** dame est élégante.
- **j.** artistes sont créatifs.

4 **a. Remplacez le mot souligné par le mot proposé. Modifiez l'adjectif démonstratif.**

Ex. : Vous devez rencontrer cet homme : il est passionnant. *(une femme)*
Vous devez rencontrer cette femme : elle est passionnante.

1. Cet instituteur est un ami d'enfance.

(une institutrice) .... est une amie d'enfance.

2. Cette jeune fille est étrangère ?

(un jeune homme) .... est étranger ?

3. Cette personne est avec vous ?

(des personnes) .... sont avec vous ?

4. Comment s'appelle cette actrice ?

(un acteur) Comment s'appelle .... ?

5. Ces enfants sont adorables.

(un enfant) .... est adorable.

6. Que fait cet employé ?

(une employée) Que fait .... ?

7. Je connais cette avocate.

(avocat) Je connais ....

8. Tu connais cette route ?

(des routes) Tu connais .... ?

9. Ce danseur est extraordinaire.

(une danseuse) .... est extraordinaire.

10. Cette enseignante parle trop vite.

(un enseignant) .... parle trop vite.

b. 🎧 15 **Écoutez et indiquez si la prononciation des adjectifs démonstratifs est identique ou différente.**

Ex. : « Vous devez rencontrer cet homme. Vous devez rencontrer cette femme. »

	Ex.	1	2	3	4	5	6	7	8	9	10
Identique	✔										
Différente											

5 **Deux amis veulent acheter un cadeau pour Jules. Complétez avec *ce, cette* ou *ces*.**

– C'est l'anniversaire de Jules, qu'est-ce qu'on achète ?

– Regarde cette chemise bleue, là, c'est une bonne idée non ?

– Je ne suis pas sûr : peut-être .... **(1)** pull, ou .... **(2)** cravate.

– Une cravate, ce n'est pas très original ! Ou alors, ... **(3)** chaussettes, elles sont bien. Et puis elles sont drôles !

– Jules ne porte pas de chaussettes comme ça. Pourquoi pas .... **(4)** écharpe, ou .... **(5)** gants, là ?

– Moi, je n'aime pas .... **(6)** accessoires. .... **(7)** manteau est cher mais beau. Tu aimes .... **(8)** modèle ?

– Je préfère .... **(9)** deux vestes plutôt.

– Écoute, on va voir avec Lucie.

6 **Complétez avec *ce, cet* ou *cette*.**

Ex. : Le directeur est absent cette semaine.

1. Mes parents arrivent à Rouen .... week-end.

2. Il fait froid .... hiver.

3. Je rentre tard .... soir.

4. .... année, on déménage.

5. Ils vont au Canada .... été.

6. .... matin, il fait seulement 5 °C.

7. Vous avez des projets pour .... automne ?

8. On fait quoi .... semaine ?

9. Est-ce que tu as un billet pour .... spectacle ?

10. .... adresse n'est pas bonne.

B Les adjectifs possessifs

	Singulier		Pluriel
	Masculin	**Féminin**	
À moi	C'est **mon** ami Hugo.	Voici **ma s**œur Léa. C'est **mon a**mie Noémie.	Ce sont **mes** parents.
À toi	**ton** cousin	**ta c**ousine **ton a**mie	**tes** cousins
À lui/à elle	**son** frère	**sa f**amille **son é**cole	**ses** copains
À nous	**notre** fils	**notre** fille	**nos** enfants
À vous	**votre** oncle	**votre** tante	**vos** parents
À eux/à elles	**leur** père	**leur** mère	**leurs** collègues

(!) Au féminin singulier, quand le nom commence par une voyelle ou un *h* muet, on utilise *mon, ton, son*.
Ex. : *ma* amie → *mon* amie, *ta* amie → *ton* amie, *sa* amie → *son* amie.

7 **Soulignez l'adjectif possessif correct.**

1. Nous habitons chez *mes / notre / mon* parents.

2. *Nos / Sa / Ses* sœur vit à Lyon avec *sa / nos / son* frère.

3. Louis et toi, vous travaillez dans la société de *nos / votre / ma* frère ?

4. *Nos / Ma / Leur* enfants aiment être avec *leurs / ton / votre* amis.

5. Ils ne connaissent pas *vos / ta / son* famille.

6. Vous vivez encore chez *votre / notre / vos* parents ?

7. Si vous venez à Marseille, vous pouvez loger chez *mes / mon / leurs* copain Victor.

8 **Théo discute de ses études avec Lina. Barrez la forme incorrecte.**

– Je suis content de *mon / ta* collège ! *Vos / Mes* **(1)** profs sont très dynamiques, j'adore ça.

– Le collège est loin de chez *tes / leur* **(2)** parents ?

– Oui, je dois prendre *nos / mon* **(3)** vélo.

– Et *vos / leurs* **(4)** salles de classe sont bien ?

– En général oui. *Ta / Ma* **(5)** classe est très grande.

– Et *son / tes* copains **(6)** ?

– *Mes / Tes* **(7)** copains sont vraiment cool.

– Et *votre / leurs* **(8)** directeur, il est comment ?

– Sévère, mais pas comme *ma / mon* **(9)** père.

– Je vais demander à *mes / vos* **(10)** parents de m'inscrire aussi.

9 **Complétez ces dialogues avec des adjectifs possessifs.**

1. *(à toi)* Ton collègue vient à la soirée de Sophie ?

   – Oui, mais *(à lui)* .... femme ne peut pas venir.

2. Vous connaissez les personnes près de la porte ?

   – Oui, ce sont *(à nous)* .... amis, David et Marion.

3. *(à toi)* .... sœur vit seule à Lyon ?

   – Non, elle habite avec *(à elle)* .... amie Mathilde.

4. Qu'est-ce que tu fais dimanche ?

   – Je vais au théâtre avec *(à moi)* .... mari et *(à moi)* .... fille.

5. *(à vous)* .... copains, Julien et Elsa, ne sont pas là ?

   – Non, ils sont chez *(à eux)* .... amis, à Toulouse.

6. *(à vous)* .... frère, qu'est-ce qu'il fait comme travail ?

   – *(à moi)* .... frère ? Il est employé de banque.

10 🎧 16 **Une famille prépare un voyage et vérifie ses valises. Écoutez et soulignez la phrase que vous entendez.**

Ex. : Voilà nos bonnets. / <u>Voilà ton bonnet.</u>

1. Tu as mon peigne ? / Tu as son peigne ?

2. Ils prennent leur écharpe. / Ils prennent leurs écharpes.

3. Voici vos médicaments. / Voici nos médicaments.

4. Ils ont ses pantalons. / Ils ont leurs pantalons.

5. Voilà votre raquette de tennis. / Voilà notre raquette de tennis.

6. Elle prend ses chaussettes. / Elle prend mes chaussettes.

7. Ils ont nos sacs. / Ils ont notre sac.

8. C'est mon pull. / C'est son pull.

9. Nous avons notre appareil photo. / Nous avons votre appareil photo.

10. Elle a ton imperméable. / Elle a son imperméable.

11 **Amélie et sa famille font leurs valises. Complétez avec des adjectifs possessifs.**

– Amélie, tu dois prendre : tes bottes, ... **(1)** parapluie, ... **(2)** crème solaire.

– Véronique, elle, doit penser à .... **(3)** manteau, ... **(4)** gants, ... **(5)** robe noire.

– Les parents doivent emporter .... **(6)** carte de crédit, ... **(7)** téléphone portable,

.... **(8)** papiers d'identité.

BILAN

1 Complétez la question avec un adjectif démonstratif et la réponse avec un adjectif possessif.

1. .... stylo est à toi ? – Oui, c'est .... stylo.

2. .... appareil photo est à lui ? – Oui c'est .... appareil photo.

3. .... livre est à moi ? – Oui, bien sûr, c'est .... livre.

4. .... lunettes sont à elle ? – Oui, ce sont .... lunettes.

5. .... veste est à lui ? – Oui, c'est .... veste.

6. .... gants sont à toi ? – Oui, ce sont .... gants.

7. .... manteau est à toi ? – Non, ce n'est pas .... manteau.

8. .... magazines sont à moi ? – Oui, oui, ce sont .... magazines.

2 La mère de Pierre est en colère. Il doit ranger sa chambre.

a. Complétez avec des adjectifs démonstratifs.

– Pierre, regarde .... **(1)** chambre ! Tu ranges .... **(2)** affaires et tu poses .... **(3)** photos

sur .... **(4)** bureau, s'il te plaît ! Et tu mets .... **(5)** pull dans .... **(6)** armoire, ... **(7)**

raquette dans .... **(8)** sac de sport. Et regarde .... **(9)** rollers sur .... **(10)** lit !

Ce n'est pas possible !

b. Complétez avec des adjectifs possessifs.

– Pierre, regarde .... **(1)** chambre ! Tu ranges .... **(2)** affaires et tu poses .... **(3)** photos

sur .... **(4)** bureau, s'il te plaît ! Et tu mets .... **(5)** pull dans .... **(6)** armoire, ... **(7)**

raquette dans .... **(8)** sac de sport. Et regarde .... **(9)** rollers sur .... **(10)** lit !

Ce n'est pas possible !

3 Alex et Célia font leurs achats de Noël. Soulignez la forme correcte.

– Regarde, Célia. Je prends *ces / ce* **(1)** parfum pour *ma / vos* **(2)** mère. *Cet / Cette* **(3)** bande

dessinée pour *leurs / mon* **(4)** frère. *Ces / Cette* **(5)** boucles d'oreille et *ce / cet* **(6)** foulard

pour *votre / mes* **(7)** cousines Anne et Lucie. Et *cet / cette* **(8)** agenda pour *nos / ma* **(9)** tante

et *mon / mes* **(10)** oncle.

– Et pour *ses / ton* **(11)** père ?

– Peut-être *cet / ce* **(12)** album photos numérique ?

– Bonne idée, Alex. Mais tu n'oublies personne ?

4 Une mère et sa fille ont laissé des messages sur le frigo. Complétez avec des adjectifs démonstratifs et possessifs.

Lucie,

.... soir, je rentre tard du bureau. Tu peux vérifier que .... chaussures rouges et .... imperméable sont bien dans .... armoire ?

Merci !

Maman ♡

Maman,

Demain, je pars tôt. j'ai .... leçon de japonais à 8 heures.

À midi. je déjeune avec .... copains, mais je rentre tôt .... après-midi. et je te rapporte .... écharpe et .... gants.

Bonne journée !

Lucie

5 Cette scène de théâtre se passe dans un train. Complétez avec des adjectifs démonstratifs et possessifs.

LUCIEN

Pardon, mais .... place, c'est la place 87. Je crois que c'est .... place !

TONY

Ah non ! C'est .... place, regardez .... billet !

LUCIEN

Sur .... billet aussi, c'est la place 87 !

TONY

Oui, mais regardez bien ! .... voiture, ici, c'est la 6. Sur .... billet, c'est la 7 ! .... voiture à vous, c'est la 7 !

LUCIEN

Ah, nous ne sommes pas dans la voiture 7 ?

TONY

Non, monsieur. Vous devez avancer encore pour atteindre .... voiture.

Acte I, Scène 1.

8 L'adjectif qualificatif

❯ Pour caractériser une chose
❯ Pour faire le portrait d'une personne

❯ Pour décrire un lieu, une personne
❯ Pour exprimer une opinion

A Le masculin et le féminin de l'adjectif

	Masculin	Féminin
RÈGLE GÉNÉRALE **Pour former l'adjectif féminin, on ajoute un ___ à la forme du masculin.**	poli grand désolé	polie grande désolée
Un adjectif masculin terminé par un -e a la même forme au féminin.	calme rapide	calme rapide
Parfois, la consonne finale double.	naturel canadien bon gros gentil	naturelle canadienne bonne grosse gentille
Parfois, toute la syllabe finale change.	actif amoureux léger	active amoureuse légère
Un grand nombre d'adjectifs ont une forme très différente au masculin et au féminin.	beau blanc faux fou jaloux vieux	belle blanche fausse folle jalouse vieille

1 **Soulignez la forme correcte de l'adjectif.**

Ex. : Mon oncle est _australien_ / australienne.

1. Cette jeune femme est _camerounais / camerounaise_.

2. J'ai une amie _iranien / iranienne_.

3. C'est une championne de tennis _allemand / allemande_.

4. Mon fils est en vacances dans une famille _finlandais / finlandaise_.

5. Je ne connais pas cet acteur _chinois / chinoise_.

6. C'est un touriste _mexicain / mexicaine_.

7. J'aime bien cette chanteuse _argentin / argentine_.

8. On s'intéresse à l'histoire _africaine / africain_.

2 Jules décrit les personnes de sa famille. Complétez avec la forme correcte de l'adjectif.

Ex. : *(joli)* Ma sœur est jolie.

1. *(petit)* Mon fils est _____ .

2. *(grand)* Il n'est pas _____ comme son père.

3. *(brun)* Ma fille est _____ .

4. *(blond)* Elle est _____ .

5. *(poli)* Mon petit-fils est _____ .

6. *(gros)* Mon frère est _____ .

7. *(beau)* Ma petite fille est _____ .

8. *(vieux)* Ma femme est _____ .

3 Indiquez qui parle : un homme (H), une femme (F), un homme ou une femme (H/F) ?

Ex. : Je suis malheureux. H

1. Je suis contente. _____
2. Je suis fatiguée. _____
3. Je suis triste. _____
4. Je suis ravi. _____
5. Je suis autrichienne. _____
6. Je suis satisfait. _____
7. Je suis thaïlandaise. _____
8. Je suis amoureuse. _____
9. Je suis calme. _____
10. Je suis bulgare. _____

4 Écoutez et indiquez si l'adjectif est masculin, féminin ou les deux.

Ex. : « calme »

	Ex.	1	2	3	4	5	6	7	8	9	10	11	12
Masculin													
Féminin													
Masculin/féminin	✔												

5 Classez les adjectifs pour décrire Marco et Carole.

sportive • beau • sérieuse • douce • turque • roux • gentille • sportif • folle • vieille • menteur • vieux • gentil • doux • turc • fou • rousse • belle • sérieux • menteuse

1. Marco est beau, _____

2. Carole est belle, _____

6 Arsène présente les qualités et les défauts des membres de sa famille. Transformez au masculin ou au féminin.

Ex. : Mon cousin est intelligent mais un peu fou. → Ma cousine est intelligente mais un peu folle.

1. Ma mère est naturelle et douce. → Mon père est ....

2. Mon frère est menteur et impoli. → Ma sœur est ....

3. Ma belle-mère est généreuse et gentille. → Mon beau-père est ....

4. Mon beau-frère est actif et joyeux. → Ma belle-sœur est ....

5. Mon oncle est jaloux et méchant.

→ Ma tante est .... et parfois ....

6. Ma grand-mère est une femme passionnée et cultivée.

→ Mon grand-père est un homme ....

7 Entourez l'adjectif correct.

Ex. : L'assiette est *rond* / (*ronde*).

1. Ma serviette est *blanc* / *blanche*.

2. Cette nappe est *joli* / *jolie*.

3. Ton verre est *plein* / *pleine*.

4. Cette bouteille est *petite* / *petit*.

5. La théière est *lourd* / *lourde*.

6. Ce vase est *cher* / *chère*.

7. Cette table est *ancienne* / *ancien*.

8. Mon armoire est *grand* / *grande*.

8 Complétez avec les adjectifs de couleur à la forme correcte.

jaune • vert • blanc • rouge • noir

1. Le chocolat est noir ou ....

2. Une banane est .... ou ....

3. Une olive est .... ou ....

4. Un citron est .... ou ....

5. Le sucre est .... et la farine est ....

6. Une pomme peut être ...., ... ou ....

9 Soulignez l'adjectif correct.

Ex. : Je voudrais de l'eau *minérale* / *minéral*.

1. J'achète un *gros* / *grosse* gâteau.

2. Je n'aime pas le fromage *sèche* / *sec*.

3. Cette glace est *parfumé* / *parfumée*.

4. Tu as de l'eau *frais* / *fraîche* ?

5. Tu aimes le poisson *cru* / *crue* ?

6. J'adore la salade *vert* / *verte*.

7. Lucas préfère le pain bien *cuit* / *cuite*.

8. Tu veux un cake *sucrée* / *sucré* ou *salée* / *salé* ?

10 **Transformez les adjectifs comme dans l'exemple.**

Ex. : Un village bruyant ou tranquille. → Une région bruyante ou tranquille.

1. Une rue large ou étroite. → Un passage .... ou ....

2. Une université moderne ou ancienne. → Un institut .... ou ....

3. Une école ouverte ou fermée. → Un hôtel .... ou ....

4. Un jardin public ou privé. → Une salle .... ou ....

5. Une piscine gratuite ou payante. → Un parc .... ou ....

6. Une maison blanche ou bleue. → Un bâtiment .... ou ....

7. Un pays chaud ou glacial. → Une mer .... ou ....

B Le singulier et le pluriel de l'adjectif

	Singulier	Pluriel
RÈGLE GÉNÉRALE **Pour former l'adjectif pluriel, on ajoute un -s au masculin ou au féminin singulier.**	étonné polie	étonné**s** polie**s**
Les adjectifs terminés par **-s** ou **-x** au masculin singulier ne changent pas au masculin pluriel.	françai**s** heureu**x**	françai**s** heureu**x**
La majorité des adjectifs terminés par **-al** au masculin singulier ont une forme en -aux au masculin pluriel.	internation**al**	internation**aux**
Pour les adjectifs masculins terminés par **-eau**, on ajoute un -x au pluriel.	nouv**eau**	nouveau**x**
Quand il y a 2 sujets, un masculin et un féminin, l'adjectif est au masculin pluriel.	Léo et Karina sont **gentils**.	

11 **a. Indiquez si l'adjectif est singulier (S), pluriel (P), singulier ou pluriel (S/P).**

Ex. : passionnants P

1. gros .... **4.** vieux .... **7.** unique ....

2. épais .... **5.** nouveaux .... **8.** intéressants ....

3. lourd .... **6.** ancien .... **9.** original ....

b. Complétez les énumérations avec les adjectifs de la partie a.

Ce livre est gros, ...

Ces livres sont ....

12 (18) **Écoutez et indiquez qui parle. Plusieurs réponses sont possibles.**

Ex. : « Nous sommes sportives. »

	Ex.	1	2	3	4	5	6	7	8	9	10
un frère et une sœur											
deux sœurs	✔										
deux frères											

13 **a. Indiquez si l'adjectif est singulier (S), pluriel (P), singulier ou pluriel (S/P).**

Ex. : jaloux   S/P

1. élégant   ....   **4.** mince   ....   **7.** généreux   ....

2. beaux   ....   **5.** roux   ....   **8.** poli   ....

3. dynamique   ....   **6.** menteurs   ....   **9.** surpris   ....

b. Complétez les énumérations avec les adjectifs de la partie a.

Cet homme est élégant, ...

Ces hommes sont ....

14 (19) **Écoutez ces adjectifs au masculin. Indiquez s'ils sont au singulier ou au pluriel ou les deux.**

Ex. : « local »

	Ex.	1	2	3	4	5	6	7	8	9	10
Singulier	✔										
Pluriel											
Singulier/Pluriel											

15 **Transformez comme dans l'exemple.**

Ex. : Ces chansons sont originales et amusantes. → Ces textes sont originaux et amusants.

1. Ces romans sont longs, difficiles mais passionnants.

→ Ces histoires sont .... , ... mais ....

2. Ces danses sont variées et très connues.

→ Ces ballets sont .... et très ....

3. Ces poèmes sont célèbres, courts et faciles.

→ Ces poésies sont .... , ... et ....

4. Les tableaux sont beaux, rares mais trop chers.

→ Les photos sont .... , ... mais trop ....

5. Ces spectacles sont drôles et festifs.

→ Ces représentations sont .... et ....

BILAN

1 **Complétez avec l'adjectif correspondant.**

1. La pizza est une spécialité .... (Italie)

2. Le Kenya et la Tanzanie sont des pays .... (Afrique)

3. À Bruxelles, il y a la Commission .... (Europe)

4. Le Fujiyama est une montagne .... (Japon)

5. Le Canada et le Chili sont deux pays .... (Amérique)

6. La samba est une danse .... (Brésil)

7. Moscou et Vladivostok sont deux villes .... (Russie)

8. Le koala et le kangourou sont deux animaux .... (Australie)

9. La Bourgogne est une région .... (France)

10. Le Caire et Alexandrie sont deux villes .... (Égypte)

2 **Paul décrit son repas de fête idéal. Mettez l'adjectif à la forme correcte.**

Mon repas de fête idéal

Une table .... **(1)** *(rond)*, ... **(2)**
(décoré) avec des fleurs .... **(3)** *(rouge)* et ....
.... **(4)** *(jaune)*, des assiettes .... **(5)** *(blanc)*,
des verres .... **(6)** *(doré)*, une nourriture ....
.... **(7)** *(délicieux)*, des desserts ....
.... **(8)** *(varié)*, une ambiance .... **(9)** *(amical)* et
des musiques .... **(10)** *(romantique)*.

---

3 🎧 20 **Écoutez et indiquez si les noms sont masculins ou féminins, singuliers ou pluriels. Plusieurs réponses sont possibles.**

	1	2	3	4	5	6	7	8	9	10
Masculin singulier										
Féminin singulier										
Masculin pluriel										
Féminin pluriel										

4 Des internautes laissent un commentaire sur leur hôtel sur un site de réservation. Soulignez la forme correcte de l'adjectif.

Louis78
Je passe des moments *exceptionnels / exceptionnelles* dans cet hôtel. Nous sommes dans un lieu *confortable / confortables*. Les restaurants autour ne sont pas très *chers / chères*.

Cloclod
L'accueil ici est *merveilleux / merveilleuse*. Près de l'hôtel, il y a une plage très *grandes / grande* et *beau / belle*. Nous passons des vacances *géniaux / géniales*.

Sonia Bourdien
La nourriture du restaurant de l'hôtel n'est pas *original / originale*. Heureusement, le personnel est *sympathique / sympathiques*.

5 Complétez le prospectus avec les adjectifs à la forme correcte. Les adjectifs sont dans l'ordre.

officiel • quotidien • agréable • doux • chaud • sec • humide • tropical • magnifique • long • blanc • postal

La Martinique : un lieu rêvé !

Nous vous accueillons à bras ouverts ! Ici, la langue

.... est le français, et dans la vie ....

la population parle le créole. Le climat est .... Les températures,

très .... varient entre 22 et 30 degrés. La mer est toujours ....

La saison .... dure de janvier à avril, la saison .... de juillet

à novembre. Sur une partie de l'île, on trouve une forêt avec des arbres

.... Au sud, il y a des sites ....

La .... plage .... des Salines ressemble à une carte .... !

L'article partitif et les quantités

❯ Pour exprimer une quantité ou une mesure
❯ Pour indiquer le temps qu'il fait

❯ Pour donner une instruction
❯ Pour exprimer ses goûts

A L'article partitif *du, de la, de l'*

L'article partitif indique une quantité indéterminée.

Forme affirmative	Forme négative
Je mange **du** pain.	Je **ne** mange **pas de** pain.
Je mange **de la** salade.	Je **ne** mange **pas de** salade.
Il a **de l'**eau.	Il **n'**a **pas d'**eau.

(!) Il n'existe pas de partitif pluriel. On utilise l'article indéfini *des*. **Ex. :** *Je mange des pâtes.*

1 Soulignez la forme correcte.

1. Dans la salade niçoise, on met *de l' / de la* salade verte, *des / de la* tomates,

de la / des olives noires, *des / du* poivrons, *du / de l'* thon, et *de la / de l'* huile d'olive.

2. Pour faire un gâteau, il faut *de la / du* farine, *de l' / du* lait, et *des / du* sucre et *de / des* œufs.

3. Dans la choucroute alsacienne, il y a *de la / du* chou, *des / du* pommes de terre,

de l' / de la charcuterie et *des / de la* bière.

4. Dans le pudding, il y a *du / de la* pain dur, *du / de* lait, *du / des* raisins secs, *du / des* œufs et

du / des sucre en poudre.

2 Nadia fait une enquête sur les habitudes alimentaires au petit-déjeuner. Complétez les questions.

1. Le matin, vous préférez du jus de fruit ou .... eau ?

2. Dans ton café, tu ajoutes .... lait ou .... crème ?

3. Dans votre thé, vous mettez .... citron ou .... lait ?

4. Vous ajoutez .... sucre dans votre chocolat ?

5. Sur tes tartines, tu préfères .... beurre ou .... confiture ?

6. Dans ton yaourt, tu mets .... céréales ou .... fruits ?

7. Vous prenez .... brioche ? Vous mangez .... miel ?

8. Tu préfères mettre .... moutarde ou .... ketchup ?

3 **Que peut-on acheter dans une boulangerie, une pharmacie et une épicerie ? Complétez les listes avec *du, de la, de l'* ou *des*.**

le pain • les médicaments • la moutarde • la brioche • le beurre •
le sirop contre la toux • l'alcool à 90° • l'huile • l'eau minérale • les croissants •
l'aspirine • les pansements • la tarte aux pommes • les gâteaux • les œufs

1. Dans une boulangerie, on peut acheter du pain, ...
....

2. Dans une pharmacie, on peut acheter ....
....

3. Dans une épicerie, on peut acheter ....
....

4 🎧 (21) **Écoutez et indiquez si le mot est masculin, féminin ou pluriel.**

Ex. : « du pain »

	Ex.	1	2	3	4	5	6	7	8	9	10
Masculin singulier	✔										
Féminin singulier											
Pluriel											

5 **Hélène n'a pas vu le menu du jour et pose des questions au cuisinier. Complétez avec *du, de la, de l'* ou *des*.**

– Chef, qu'est-ce qu'il y a au menu aujourd'hui ?

– En entrée, vous avez de la salade de tomates

ou .... **(1)** pâté. En plat principal,

vous pouvez choisir entre .... **(2)** poulet

avec .... **(3)** frites ou .... **(4)**

saucisses avec .... **(5)** purée.

Après, il y a .... **(6)** fromage.

– Et comme dessert ?

– .... **(7)** fruits, ... **(8)**

crème caramel ou .... **(9)**

gâteau au chocolat.

Restaurant d'entreprise

Menu du jour

salade de tomates
pâté

೩೦

poulet - frites
saucisses - purée
fromage

೩೦

fruits
crème caramel
gâteau au chocolat

6 Marème et Thomas parlent de leurs goûts. Classez leurs activités. Utilisez *du, de la, de l'* ou *des.*

> L'article partitif est utilisé avec le verbe *faire* pour parler des activités sportives et artistiques. **Ex. :** *Je fais du judo.*

le piano • la guitare • le football • la natation • l'harmonica •
le violon • l'alpinisme • le ski • l'équitation • l'accordéon

1. Je fais du sport : du football ....

2. Je fais de la musique : ....

7 Soulignez la forme correcte pour indiquer le temps qu'il fait.

En France aujourd'hui, il y a *de la / de l'* pluie, *de l' / des* orages **(1)**, *de la / du* soleil **(2)**, *de la / de l'* neige **(3)**, *des / du* vent **(4)**, *de la / de* l'humidité **(5)**, *du / de l'* brouillard **(6)**, *du / de l'* air frais **(7)**.

8 🎧 22 **Chris fait un régime. Ses amis demandent ce qu'il peut manger. Écoutez et complétez avec *pas d'* ou *pas de*.**

poisson • sel • gâteaux • pain • œufs • beurre • limonade • sucre • huile

Ex. : « Tu prends du sucre ? » – Non, je ne prends pas de sucre.

1. Non, je ne prends ....   **5.** Non, je ne prends ....

2. Non, je ne prends ....   **6.** Non, je ne prends ....

3. Non, je ne prends ....   **7.** Non, je ne prends ....

4. Non, je ne prends ....   **8.** Non, je ne prends ....

9 Un cuisinier débutant pose des questions. Complétez les instructions du chef de façon négative.

Ex. : Dans la soupe, je mets des oignons ? – Non, tu ne mets pas d'oignons dans la soupe.

1. Il y a de la crème dans la purée de pommes de terre ?

– Non, il n'y a .... dans la purée de pommes de terre.

2. J'ajoute du beurre dans les haricots ?

– Non, tu n'ajoutes .... dans les haricots.

3. Dans la mousse au chocolat, je mets du sel ?

– Non, tu ne mets .... dans la mousse au chocolat.

4. Et sur la tarte aux fruits, j'ajoute des bananes ?

– Mais non, tu n'ajoutes .... sur la tarte aux fruits.

5. Je mets des oranges dans le gâteau au chocolat ?

– Non, tu ne mets .... dans le gâteau au chocolat.

6. On ajoute du maïs dans la salade composée ?

– Non, on n'ajoute ....dans la salade composée.

B **Préciser une quantité**

Les mesures	Les quantités
un **litre** d'eau un **kilo** d'oranges un **verre** de lait une **boîte** de bonbons une **bouteille** de soda	Je voudrais **un peu** de sucre. J'achète **peu** de riz. J'ai **assez** de légumes. J'ai **beaucoup** d'eau. Je mange **trop** de viande.

10 **Des étudiants parlent de la bibliothèque universitaire. Mettez dans l'ordre.**

Ex. : bruit / Il y a / de / trop • Il y a trop de bruit.

1. de / Il n'y a pas / livres / beaucoup ....

2. assez / Il y a / places / de ....

3. Il n'y a pas / lumière / assez / de ....

4. Il y a / de / beaucoup / journaux ....

5. trop / étudiants / Il y a / d' ....

6. Il n'y a pas / de / films / assez ....

11 🎧 23 **Sabine vérifie la quantité de nourriture dans sa cuisine. Écoutez et indiquez s'il faut faire les courses.**

Ex. : « Il y a beaucoup de pâtes. »

	Ex.	1	2	3	4	5	6	7	8	9	10
Il faut faire les courses.											
Pas besoin de faire les courses.	✔										

12 **Associez. Puis écrivez la mesure.**

1. du pain •　　•　**a.** une tablette　　**1.** un morceau de pain

2. de l'eau •　　•　**b.** un kilo　　**2.** ....

3. de la confiture •　　•　**c.** un morceau　　**3.** ....

4. des poires •　　•　**d.** une plaquette　　**4.** ....

5. du chocolat •　　•　**e.** un paquet　　**5.** ....

6. du beurre •　　•　**f.** un pot　　**6.** ....

7. des biscuits •　　•　**g.** une bouteille　　**7.** ....

BILAN

1 **Alice demande à son amie ce qu'elle prend au petit-déjeuner. Complétez le dialogue.**

– Bonjour, pour le petit-déjeuner, tu veux .... **(1)** café ?

– Non, je ne bois pas .... **(2)** café. Tu as .... **(3)** thé ? Je préfère.

– Bien sûr. Tu prends .... **(4)** sucre ?

– Oui, un morceau .... **(5)** sucre, s'il te plaît.

– Il y a aussi .... **(6)** jus d'orange.

– Merci, mais je préfère un verre .... **(7)** eau.

– Voilà. Pour manger, je te propose .... **(8)** pain et .... **(9)** confiture.

– Parfait. Tu as un peu .... **(10)** beurre ?

– Bien sûr. Bon appétit !

2 **Complétez avec une quantité.**

un peu d' • beaucoup d' • trop de • une tasse de • assez de • beaucoup de • une cuillère de

1. Cinq morceaux de sucre dans ton café ? Tu mets .... sucre.

2. Il achète .... légumes : c'est excellent pour la santé.

3. Je mets toujours .... miel dans mon yaourt, c'est très bon.

4. Je mange .... oranges, j'adore ça !

5. J'ajoute .... ail dans la sauce mais pas trop : c'est délicieux.

6. Je suis fatigué. Je vais boire .... café.

7. Deux bananes et deux kiwis, il y a .... fruits pour nous quatre.

3 **Valentin parle de ses goûts et des activités dans sa famille. Soulignez la forme correcte.**

1. Je fais *du / de la* tennis, *de l' / de la* aquagym, un peu *de / de la* badminton

et beaucoup *de l' / d'* équitation mais pas *de la / de* course à pied.

2. Mon frère ne fait pas *du / de* sport. Il préfère faire *de / des* photos, *de l' / de la* peinture ou

des / du dessin. Et il fait aussi *du / de la* musique.

3. Ma sœur a beaucoup *de / des* collections : elle collectionne *des / d'* images, *du / des* timbres,

elle a beaucoup *des / d'* albums et beaucoup *de / de la* boîtes dans sa chambre !

4. Mon cousin connaît beaucoup *de / des* films. Il prend *des / du* cours de cinéma et fait

du / de la théâtre. Il regarde beaucoup *de / des* créations françaises, mais peu *de / des* films

étrangers.

BILAN

4 Complétez la carte postale d'Émilie.

Salut Pacôme,

Je suis en Bretagne au bord _____ mer.

Nous sommes un groupe _____ amis et

nous faisons _____ camping.

Tu le sais : nous n'avons pas beaucoup _____ argent. ☺

Le matin, nous faisons _____ voile.

L'après-midi, il y a beaucoup _____

monde et beaucoup _____ enfants, alors

nous faisons _____ vélo !

Le soir, Gaston prépare _____ pâtes

avec un peu _____ charcuterie.

Nous faisons beaucoup _____ jeux, beaucoup

_____ musique, et parfois trop _____ bruit !

Bises.   Émilie

Pacôme Blanchard

3 allée des Rosiers

37000 Tours

5 Complétez la recette des gaufres de Jules.

RECETTE DES GAUFRES

très !

Pour réussir une ∨bonne pâte à gaufres, il faut :

– _____ farine, ← 250 g. _____ farine

– un peu _____ eau

– _____ beurre fondu, ← 50 g. _____ beurre

– _____ œufs, ← deux œufs

– _____ levure, ← un demi-sachet _____ levure

– un peu _____ beurre pour la cuisson…

Et pour les déguster, on peut mettre _____ confiture, _____ chocolat, _____ sucre.

Ou beaucoup _____ autres choses !

Bon appétit !

Jules, futur chef

L'expression du lieu 10

> Pour situer et décrire un lieu
> Pour situer une chose dans l'espace

> Pour indiquer un itinéraire
> Pour indiquer la provenance

A Les continents, les pays et les villes

Règles	Exemples
Les noms de pays terminés en **-e** et les noms des continents sont **féminins**.	**Pays :** l'Australie, la Belgique, la Chine, l'Espagne, la France, la Grèce, l'Italie, la Tanzanie, la Turquie… **Continents :** l'Afrique, l'Amérique, l'Asie, l'Europe, l'Océanie.
Les autres noms de pays sont **masculins**.	Le Brésil, le Canada, l'Iran, le Japon, le Maroc, le Portugal, le Sénégal, le Venezuela…
Certains noms de pays sont **pluriels**.	Les États-Unis, les Pays-Bas, les Philippines…
Certains noms de pays et les villes n'ont **pas d'article**.	**Pays :** Chypre, Cuba, Madagascar, Singapour… **Villes :** Bruxelles, Tokyo, Mexico, Lagos…

(!) Certains pays ont une terminaison en *-e* mais sont masculins.
Ex. : *le Cambodge, le Mexique, le Mozambique*…

Certaines villes ont un article. **Ex. :** *Le Havre, Le Caire, Le Cap, La Haye, La Havane*…

1 Classez les lieux avec l'article correct.

~~Afrique du Sud~~ • Émirats arabes unis • Bogota • Chili • Colombie • Nouvelle-Zélande • Cuba • Danemark • Égypte • Équateur • Hongrie • Irak • Malte • Kenya • Londres • Liban • Moscou • Pérou • Pologne • Seychelles • Suisse • Tunisie • Vietnam

Féminin (*la, l'*)	Masculin (*le, l'*)	Pluriel (*les*)
l'Afrique du Sud		
		Sans article (ø)

2 **Écrivez les articles des sept pays voisins de la France.**

La Belgique, ... **(1)** Luxembourg, ... **(2)** Allemagne, ... **(3)** Suisse, ... **(4)** Italie,

.... **(5)** Espagne, ... **(6)** Royaume-Uni.

B *À*, *en*, *au*, *aux* avec les villes, les pays et les continents

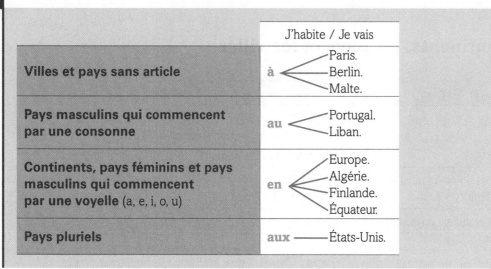

	J'habite / Je vais
Villes et pays sans article	à ⟨ Paris. / Berlin. / Malte.
Pays masculins qui commencent par une consonne	au ⟨ Portugal. / Liban.
Continents, pays féminins et pays masculins qui commencent par une voyelle (a, e, i, o, u)	en ⟨ Europe. / Algérie. / Finlande. / Équateur.
Pays pluriels	aux — États-Unis.

3 **Soulignez la préposition correcte.**

Ex. : Il va <u>en</u> / au Chine la semaine prochaine.

1. Ils vivent *au* / *en* Maroc.

2. Mes parents vont *au* / *en* Espagne en juillet.

3. Mes amis ont de la famille *aux* / *en* Inde.

4. Il part bientôt *au* / *en* Brésil.

5. Elle habite *aux* / *en* États-Unis.

6. Nous allons *au* / *en* Angleterre ce week-end.

7. Vous êtes né *à* / *au* Singapour ?

8. Tu passes tes vacances *en* / *aux* Philippines ?

4 **Faites des phrases pour indiquer où habitent les personnes.**

Ex. : (Vienne / Autriche) Wolfgang habite à Vienne, en Autriche.

1. (Dublin / Irlande) Sean ....

2. (Dakar / Sénégal) Alioun ....

3. (La Havane / Cuba) Pedro ....

4. (Varsovie / Pologne) Janek ....

5. (Damas / Syrie) Khaled ....

6. (Kyoto / Japon) Akira ....

5 **Dans quel pays et sur quel continent se trouvent ces villes ? Complétez.**

Ex. : Washington est aux États-Unis, en Amérique du Nord.

1. Berlin est _____

2. Lima est _____

3. Tokyo est _____

4. Nairobi est _____

5. Toronto est _____

6. Melbourne est _____

7. Séoul est _____

C Les prépositions *à*, *de* et *chez*

Lieu où on est/où on va		Lieu d'origine		
à + nom de lieu	chez + nom de personne	de + nom de lieu	de + nom de pays	de chez + nom de personne
Je suis / Je vais... **à la** gare. **à l'**aéroport. **au** bureau. **aux** toilettes.	Je suis / Je vais... **chez** Pierre. **chez** toi. **chez** le docteur.	Je reviens... **de la** gare. **de l'**aéroport. **du** bureau. **des** toilettes.	Je viens... **du** Pérou. **de** Colombie. **d'**Italie. **des** Philippines.	Je sors... **de chez** moi. **de chez** Pierre. **de chez** le docteur.

6 **Associez les commerces aux commerçants.**

On va...
1. à la pharmacie • — • d. chez le pharmacien
2. à la charcuterie • • a. chez l'épicier
3. à l'épicerie • • b. chez le boucher
4. à la pâtisserie • • c. chez le cordonnier
5. à la boulangerie • • e. chez le charcutier
6. à la boucherie • • f. chez le pâtissier
7. à la cordonnerie • • g. chez le boulanger

7 **Complétez avec *à la, à l', au, aux* ou *chez*.**

Je vais...
1. chez mes parents.
2. _____ hôtel.
3. _____ bureau.
4. _____ toi.
5. _____ école.
6. _____ M. et Mme Leroy.
7. _____ médiathèque.
8. _____ banque.
9. _____ moi.
10. _____ toilettes.
11. _____ 2e étage.
12. _____ dentiste.

8 **Où achète-t-on ces produits ? Complétez avec *au*, *à la*, *à l'* ou *chez le*.**

Ex. : Pour le pain, je vais à la boulangerie.

1. Pour la viande, je vais _____ boucher.

2. Pour les médicaments, je vais _____ pharmacie.

3. Pour le beurre, je vais _____ fromagerie.

4. Pour les gâteaux, je vais _____ pâtissier.

5. Pour l'huile, je vais _____ épicerie.

6. Pour les livres, je vais _____ libraire.

7. Pour les timbres, je vais _____ poste.

8. Pour une coupe de cheveux, je vais _____ coiffeur.

9. Pour le poisson, je vais _____ poissonnerie.

> On ne dit pas : *Je viens de la Colombie*,
> mais : *Je viens de Colombie.*
> On ne dit pas : *Je viens de l'Iran*,
> mais : *Je viens d'Iran.*

9 **Associez.**

Les passagers arrivent...

	• **1.** Suède.
du •	• **2.** Canada.
d' •	• **3.** Égypte.
de •	• **4.** Mozambique.
des •	• **5.** Somalie.
	• **6.** Nouvelle-Zélande.

	• **7.** Indonésie.
du •	• **8.** États-Unis.
d' •	• **9.** Zambie.
de •	• **10.** Comores.
des •	• **11.** Ouzbékistan.
	• **12.** Panama.

10 **Soulignez la forme correcte.**

Ex. : Je sors *de le / du* théâtre.

1. Je vais *à l' / au* café.

2. Je sors *de le / du* bureau.

3. Je reviens *de la / de l'* banque.

4. Je vais *aux / à les* jeux olympiques.

5. Je reviens *de l' / du* aéroport.

6. Je vais *à le / au* cinéma.

7. Je passe la soirée *à l' / à le* opéra.

8. Je mange *au / à le* restaurant.

11 🎧 24 **Écoutez et indiquez si le nom du lieu est masculin ou féminin.**

Ex. : « Je reviens du théâtre. »

	Ex.	1	2	3	4	5	6	7	8	9	10
Masculin	✔										
Féminin											

12 **Indiquez les trajets avec les mots proposés.**

Ex. : (piscine / maison) On va de la piscine à la maison.

1. (maison / hôpital) Ils vont ....

2. (hôpital / bureau) Je vais ....

3. (bureau / banque) Nous allons ....

4. (banque / supermarché) Tu vas ....

5. (supermarché / stade) Vous allez ....

6. (stade / mairie) Elles vont ....

7. (mairie / médiathèque) Il va ....

8. (médiathèque / aéroport) Je vais ....

9. (aéroport / gare) Vous allez ....

13 **Hélène parle des habitudes de sa famille. Soulignez la réponse correcte.**

Le samedi matin, je reste *à la* / *à l'* maison jusqu'à 11 heures. Après, je vais *du* / *au* **(1)** marché avec ma voisine. On sort *de l'* / *à l'* **(2)** immeuble ensemble, on achète des fruits et des légumes *à l'* / *au* **(3)** même stand, et on va *de la* / *à la* **(4)** boulangerie et puis *au* / *du* **(5)** café pour discuter un peu avant de rentrer *à la* / *au* **(6)** maison. Mon mari et les enfants reviennent *du* / *de l'* **(7)** stade vers 13 heures et on déjeune.

D Les prépositions *dans*, *derrière*, *devant*, *sous*, *sur*, *entre*

dans	derrière	devant	sous	sur	entre

14 **Complétez avec *dans* ou *sur*.**

Ex. : Je range mes vêtements dans l'armoire.

1. Je mets les clés .... ma poche.

2. Je m'installe .... le banc.

3. Je mets l'eau .... le verre.

4. Je pose les fleurs .... la table.

5. Je laisse mes papiers .... le tiroir.

6. Je range le lait .... le réfrigérateur.

7. Je pose mon sac .... la chaise.

8. Je ne mets pas mes pieds .... la table.

15 **Soulignez les prépositions correctes.**

1. On ne mange pas *dans / sur le* salon mais *dans / sous* la salle à manger.

2. Le lave linge est *sous / dans* la cuisine, *à côté du / dans le* lave-vaisselle.

3. La chambre des parents est *devant / entre* la salle de bain et le séjour.

4. Le meuble télé est *derrière / entre* les deux fenêtres.

5. Il y a un jardin *sur / devant* la maison.

6. Le garage est *derrière / sur* la maison.

E Autres prépositions et expressions de lieu

Autres prépositions		Les points cardinaux
Rendez-vous à la gare,	**près du** bureau. **en face du** quai n°4. **en haut de** l'escalier. **en bas de** l'escalier. **à côté des** guichets.	**au nord** **à l'ouest** O — E **à l'est** **au sud**
Mes amis habitent	**au centre du** village. **loin de** chez moi. **au bord de** la rivière.	

16 **Des personnes ont un rendez-vous aujourd'hui. Associez.**

- **a.** mairie.

- **b.** caisses.

- **c.** entrée.

1. J'ai rendez-vous près du •
- **d.** sortie.

2. J'ai rendez-vous près de la •
- **e.** église.

3. J'ai rendez-vous près de l' •
- **f.** commissariat.

4. J'ai rendez-vous près des •
- **g.** bureau.

- **h.** quai.

- **i.** escaliers.

- **j.** statue.

17 **Soulignez les expressions de lieu dans ces présentations de Marseille et de Lyon.**

1. Marseille ! L'office de tourisme se trouve <u>près du</u> port, à côté du marché aux poissons.

Sur le quai, vous pouvez visiter le MUCEM, notre célèbre Musée des civilisations de l'Europe

et de la Méditerranée. En face du musée, le fort Saint-Jean propose des expositions historiques.

Vous avez un arrêt de bus en face du MUCEM pour faire le tour de la ville et aller en haut

de la colline, où se trouve la basilique Notre-Dame-de-la-Garde.

2. Lyon ! Le nouveau musée Confluences est entre le Rhône et la Saône, et le musée

des Beaux-Arts sur la presqu'île. Au nord de la ville, il y aussi le Musée d'Art Contemporain.

Le marché gastronomique se trouve à l'intérieur des Halles, et vous pouvez vous promener dans

le Vieux Lyon. Vous pouvez aussi vous rendre en haut de la colline jusqu'à Notre-Dame-de-Fourvière.

18 **Complétez l'itinéraire de Pierre avec les expressions de lieu correctes.**

à droite • sur • ~~devant~~ • en haut de • chez • dans • jusqu'au • en bas de • à gauche • derrière

Il sort du métro. Il passe devant le kiosque à journaux.

Il va .... **(1)** croisement.

Il traverse .... **(2)** le passage piétons.

Il passe .... **(3)** l'arrêt de bus.

Il tourne .... **(4)** la rue, ... **(5)**.

Il monte .... **(6)** l'escalier

et il tourne .... **(7)**.

Il arrive .... **(8)** son immeuble,

il est .... **(9)** lui !

BILAN

❶ Le professeur de géographie interroge ses élèves. Complétez avec *au*, *en* ou *aux*.

1. Où se trouve Bruxelles ? .... Belgique, ... Europe.

2. Où se trouve Sao Paulo ? .... Brésil, ... Amérique du Sud.

3. Où se trouve Bangkok ? .... Thaïlande, ... Asie.

4. Où se trouve Lagos ? .... Nigéria, ... Afrique.

5. Où se trouve San José ? .... Costa Rica, ... Amérique centrale.

6. Où se trouve Auckland ? .... Nouvelle-Zélande, ... Océanie.

7. Où se trouve Beyrouth ? .... Liban, ... Proche-Orient.

8. Où se trouve Chicago ? .... États-Unis, ... Amérique du Nord.

9. Où se trouve Kaboul ? .... Afghanistan, ... Asie centrale.

10. Où se trouve Istanbul ? .... Turquie, ... Europe et .... Asie.

❷ Marie parle de ses projets pour les vacances. Complétez avec les prépositions de lieu.

chez • en • dans • au (× 2) **• au bord du • à** (× 2)

– Marie, cet été, tu vas où en vacances ?

– Je vais .... **(1)** Annecy, ... **(2)** mes parents.

– Ils ont une grande maison .... **(3)** lac, n'est-ce pas ?

– Oui, et cette année, ils vont .... **(4)** Italie .... **(5)** Capri avec des amis.

– Et toi, tu restes seule .... **(6)** cette grande maison ?

– Non. Je suis .... **(7)** rez-de-chaussée et mes grands-parents sont .... **(8)** premier étage.

– Eh bien, bonnes vacances !

– Merci, toi aussi !

❸ Transformez avec les mots proposés.

1. Le Centre Pompidou est situé .... (près de / Les Halles)

2. La tour Eiffel est .... (en face de / le Trocadéro)

3. Notre-Dame est .... (au centre de / la ville)

4. L'aéroport d'Orly est .... (au sud de / Paris)

5. Le Stade de France se trouve .... (au nord de / la capitale)

6. La place du Tertre est .... (à côté de / le Sacré-Cœur)

7. Le Panthéon est .... (près de / le Jardin du Luxembourg)

8. Les Champs-Élysées sont .... (loin de / la Bibliothèque nationale de France)

BILAN

4 Complétez la présentation de Lille avec les prépositions de lieu.

devant • à • près du • au nord de • dans (× 2)

de • à côté de • en haut du • au

Bienvenue .... **Lille !**

Située .... la France, Lille est

une ville très active. Pour découvrir Lille, vous partez

.... la gare Lille Flandres et vous arrivez

.... le centre historique de la ville.

Vous passez .... la Citadelle.

.... ce monument, il y a un beau parc. Après, vous pouvez visiter La Piscine-

Musée d'Art et d'Industrie avec ses nombreuses sculptures. .... musée,

il y a la Grand-Place : c'est magnifique ! Grimpez .... beffroi de l'Hôtel

de Ville pour une vue unique. Et après, un bon repas est nécessaire : installez-vous ....

.... restaurant *L'Autre Monde* .... un décor original.

5 Théo décrit sa chambre pour son correspondant. Soulignez les réponses correctes.

Le plan de ma chambre

Elle se trouve *à côté de / dans* un appartement

à / en Marseille, *dans / au* le 5e arrondissement.

Sur / Dans ma chambre, j'ai un lit, une armoire,

un bureau, des étagères et un beau tapis

devant / sous l'armoire. Les étagères sont

entre / sur la porte et la fenêtre. Le lit est

en face des / près des étagères.

À côté de / En face de mon lit, j'ai une

petite table et *sous / sur* cette petite table,

il y a une lampe. L'armoire est *en face de / à côté de* la fenêtre et le bureau est *près de / en face*

de l'armoire. Bien sûr, il y a une chaise confortable *derrière / devant* le bureau.

C'est clair et calme : je suis très content.

11 L'expression du temps

❯ Pour indiquer un moment ou une date
❯ Pour indiquer une durée ou une période

❯ Pour indiquer la fréquence
❯ Pour exprimer une habitude

A Les moments dans le temps

Pour indiquer l'heure	**Il est quelle heure ? Quelle heure est-il ?** – **Il est** 8 heures. **À quelle heure** Patrick arrive ? – Il arrive **à** 9 heures et quart.
Pour indiquer le jour ou le moment de la journée	On est **quel jour**, aujourd'hui ? – **Mardi** ! Je pars **mardi matin** et je reviens **vendredi après-midi**. J'aime étudier **le soir**.
Pour indiquer la date	On est **mardi 7 mai 2019**. On est **le** 6 mars. On est **en** janvier/**au mois de** janvier.
Pour indiquer la saison	**au** printemps, **en** été, **en** automne, **en** hiver

1 Complétez les questions avec *À quelle heure* ou *Quelle heure est-il ?*

Ex. : Quelle heure est-il ? – Il est 11 h 20.

1. Tu pars .... ? – Je pars à 8 heures et quart.

2. S'il vous plaît, ... ? – Minuit.

3. Ma montre est arrêtée, ... s'il vous plaît ? – 5 heures.

4. Le spectacle commence .... ? – À 20 heures 30.

5. .... tu rentres, ce soir ?

6. Je ne vois pas bien le panneau. .... , s'il vous plaît ?

7. Le train est .... demain ?

2 🎧 25 **Le cours commence à 9 heures. Écoutez et indiquez si les personnes sont en avance, à l'heure ou en retard.**

Ex. : « Le professeur arrive à 8 heures et demie. »

	Ex.	1	2	3	4	5	6	7	8
En avance	✔								
À l'heure									
En retard									

3 **Voici l'emploi du temps de la nouvelle directrice du centre commercial. Mettez dans l'ordre.**

Ex. : aujourd'hui / la nouvelle directrice, / arrive / Maria, • Maria, la nouvelle directrice, arrive aujourd'hui.

1. commence / Elle / le travail / neuf heures / à

....

2. deux réunions / Elle / mercredi / a / après-midi

....

3. Elle / demain / a / midi / un déjeuner d'affaires

....

4. termine / à / Elle / minuit / sa journée

....

5. Elle / soir / en week-end / part / vendredi

....

6. va / samedi / Elle / soir / au restaurant

....

7. matin / revient / lundi / Elle

....

4 **Complétez avec une expression de la liste.**

la nuit (× 2) • **le matin** • **l'après-midi** • le soir • **la journée** • **le soir**

En général, **1.** on va au théâtre le soir.

        2. on dort ....

        3. on prend son petit-déjeuner ....

        4. on dîne ....

        5. on fait la sieste ....

        6. on travaille ....

        7. on rêve ....

5 **Soulignez la forme correcte.**

Ex. : Ils partent _en_ / au février.

1. Ils arrivent en / au novembre.

2. Ils déménagent en / au mois de mai.

3. Ils reviennent en / au octobre.

4. Ils commencent en / au juillet.

5. Ils se marient en / au mois de juin.

6. Ils repartent en vacances en / au mois d'août.

7. Ils viennent chez moi en / au décembre.

8. Ils rentrent en / au mois de janvier.

6 **Écrivez les dates comme dans l'exemple.**

> Pour le premier jour du mois, on dit *le premier*. **Ex.** : *Le premier juillet.* Puis : *le deux, le trois, le vingt-et-un…*

Ex. : lundi 27/01

→ C'est lundi. Nous sommes le 27 janvier.

1. mardi 31/12 → ....

2. mercredi 21/06 → ....

3. jeudi 01/09 → ....

4. vendredi 01/04 → ....

5. samedi 08/10 → ....

6. dimanche 18/07 → ....

7. lundi 29/02 → ....

7 **Complétez avec la saison correcte.**

été • automne • hiver • printemps

En France, il fait froid en hiver, il fait chaud .... **(1)**, il neige .... **(2)**,

on va à la plage .... **(3)**, les fleurs poussent .... **(4)**, les feuilles

des arbres tombent .... **(5)**, on fait du ski .... **(6)**.

B Habitude ou action unique

Pour exprimer une habitude	Le + jour de la semaine ou moment de la journée	**Le samedi**, je fais du sport. (= Je fais du sport **tous les samedis**.) **Le soir**, je téléphone à ma copine. (= Je téléphone à ma copine **tous les soirs**.)
Pour exprimer une action unique	Ce + jour de la semaine ou moment de la journée	**Ce samedi**, je travaille. Je vais à la piscine cet **après-midi**.

(!) On ne dit pas : ~~aujourd'hui matin/après-midi/soir~~ mais *ce matin, cet après-midi, ce soir.*

8 🎧 26 **Écoutez et indiquez si la phrase exprime une habitude ou une action unique.**

Ex. : « Le midi, je mange avec mes collègues. »

	Ex.	1	2	3	4	5	6	7	8	9	10
Habitude	✔										
Action unique											

9 **Complétez avec les informations du tableau de l'agence de voyage.**

	Lun	Mar	Mer	Jeu	Ven	Sam	Dim
Paris-Toronto	08:30	–	–	–	08:30	–	–
Paris-Dakar	–	14:00	–	14:00	–	–	–
Paris-Séoul	–	–	20:00	–	10:00	–	–
Paris-Melbourne	06:00	–	–	–	–	22:30	–
Paris-Papeete (Tahiti)	–	–	–	–	–	–	21:50

Ex. : Il y a deux avions pour Toronto, le lundi matin et le vendredi matin.

1. Il y a deux avions pour Dakar, ...

2. Il y a deux avions pour Séoul, ...

3. Il y a deux avions pour Melbourne, ...

4. Il y a un avion pour Tahiti, ...

C Des prépositions de temps

Pour indiquer la durée	**pendant**	Elle reste chez elle **pendant** le week-end.
Pour indiquer la fin	**jusqu'à**	Je travaille **jusqu'à** 20 heures.
Pour indiquer l'antériorité et la postériorité	**avant** / **après**	Tu arrives **avant** ou **après** le déjeuner ?
Pour indiquer une période	**de** ... **à** ... / **du** ... **au** ... + jour, heure, date	Nous partons **de** jeudi **à** lundi, **du** 13 **au** 17 mai. Ouvert **du** mardi **au** samedi, **de** 9 h **à** 19 h.

10 **Entourez la préposition correcte.**

Ex. : Je peux aller à la bibliothèque *pendant* / *jusqu'à* les vacances.

1. Vous pouvez passer chez moi *pendant* / *avant* 15 heures. Après, je sors.

2. La banque est ouverte *de* / *avant* 9 heures *à* / *pendant* 17 heures.

3. Vous ne pouvez pas entrer à la piscine *jusqu'à* / *après* 19 heures, c'est trop tard.

4. Le bureau est fermé *pendant* / *jusqu'à* le mois d'août.

5. Les magasins sont ouverts tous les jours *pendant* / *jusqu'à* 19 heures, sauf le jeudi.

6. Nous allons à la salle de sport *après* / *jusqu'à* le travail.

7. Tu t'entraînes *de* / *pendant* l'après-midi.

11 **Complétez avec** *de ... à ...* **ou** *du ... au ...* .

Ex. : Généralement, elle est libre du samedi au dimanche soir.

1. Nous sommes occupés .... 14 heures .... 18 heures.

2. En général, je travaille chez moi .... mercredi .... vendredi.

3. Aujourd'hui, je ne suis pas libre .... 10 heures .... midi.

4. Le bureau est fermé .... 1er .... 31 août.

5. Elle est absente cet après-midi .... 15 heures .... 17 heures.

6. On a une formation .... 9 heures .... midi.

7. D'habitude, il est au bureau .... lundi .... vendredi, mais pas aujourd'hui.

8. Je fais du sport .... midi .... 13 heures.

D Des adverbes pour indiquer la fréquence

Les adverbes sont placés **après** le verbe au présent.	Je **me déplace** toujours à pied. Il **prend** souvent le métro. On **voyage** parfois en avion. Elle **utilise** généralement sa voiture. Vous **travaillez** rarement chez vous.
ne + **verbe au présent** + jamais	Elle **ne prend** jamais le bus.

12 **Transformez avec l'adverbe proposé comme dans l'exemple.**

Ex. : On travaille le dimanche. *(rarement)* On travaille rarement le dimanche.

1. Ils font du sport le soir. *(souvent)* ....

2. Nous avons le temps de dormir. *(ne ... jamais)* ....

3. Elles courent ! *(toujours)* ....

4. Vous vous reposez. *(ne ... jamais)* ....

5. Je suis occupée. *(toujours)* ....

6. Elle dort chez ses amis. *(parfois)* ....

7. Tu sors le samedi. *(souvent)* ....

8. Il va au cinéma. *(rarement)* ....

13 **Un homme d'affaires présente ses habitudes. Mettez dans l'ordre.**

Ex. : en voyage / Je / souvent / suis

Je suis souvent en voyage.

1. Je / le soir / souvent / travaille

....

2. prends / Je / toujours / le taxi

....

3. rarement / mes soirées en famille / passe / Je

....

4. généralement / Je / en avion / voyage

....

5. organise / souvent / J' / des réunions

....

6. Je / pars / ne / en vacances / jamais

....

7. dans un hôtel / dors / Je / généralement

....

14 **Répondez avec *ne/n' ... jamais* comme dans l'exemple.**

Ex. : Elle va au restaurant ? – Non, elle ne va jamais au restaurant, elle n'a pas le temps.

1. Il fait souvent le ménage ? – Non, il .... le ménage, il déteste ça !

2. Tu lis les journaux ? – Non, je .... les journaux, ça ne m'intéresse pas.

3. Ils voyagent en avion ? – Non, ils .... en avion, ils ont peur.

4. Tu dors la fenêtre ouverte ? – Non, je .... la fenêtre ouverte.

5. Elle a le temps d'aller au théâtre ? – Non, elle .... le temps.

6. Vous vous promenez dans la forêt ? – Non, on ....

dans la forêt, on a peur !

7. Elles regardent la télévision ? – Non, elles .... la télévision,

elles détestent ça.

1 **Associez.**

1. J'adore marcher. •
2. Je me lève toujours tôt. •
3. Je rentre tard à la maison. •
4. J'aime beaucoup le ski. •
5. Je consulte Internet le soir. •
6. J'aime bien les voyages. •
7. Je n'aime pas manger au restaurant. •

• **a.** Je ne suis pas chez moi avant 21 heures.
• **b.** En hiver, je vais à la montagne.
• **c.** Je me promène souvent.
• **d.** Je regarde des sites de 22 heures à minuit.
• **e.** Le midi, je déjeune au bureau.
• **f.** Pour les vacances, je pars à l'étranger.
• **g.** Je ne me réveille jamais tard.

2 **Entourez la réponse correcte.**

1. Je suis née *au / en* 1985, *en / au* février.

2. En général, je travaille *du / de* lundi *au / à* vendredi.

3. J'ai souvent des rendez-vous *l' / cet* après-midi *de / du* 14 heures *au / à* 17 heures.

4. Ce soir, je rentre chez moi *à / jusqu'à* 18 heures.

5. *Ce / Le* samedi, c'est l'anniversaire de mon fils.

6. Nous devons organiser la fête *pendant / avant* vendredi soir.

7. *Après / Pendant* la fête, on va danser.

3 **Complétez avec les expressions de la liste.**

quelle heure • en retard • à

– J'ai rendez-vous .... **(1)** 10 heures, ... **(2)** il est ?

– Presque dix heures !

– Oh, je suis .... **(3)** !

à • demain • pendant • au mois de

– .... **(4)** on part à Nice.

– À Nice ?

– Oui, ... **(5)** 15 heures, en avion. .... **(6)** février,

il y a le carnaval .... **(7)** une semaine, c'est super !

jusqu'à • parfois • de ... à • le vendredi • à

– Tu rentres tôt aujourd'hui !

– Oui, ... **(8)**, je travaille seulement .... 9 heures

.... **(9)** 13 heures.

– Et les autres jours ?

– Ça dépend. En général, je finis .... **(10)** 18 heures, mais .... **(11)**,

je dois rester au bureau .... **(12)** 19 heures ou 20 heures.

4 Johan invite Gaspard au cinéma. Complétez leurs textos avec les expressions de temps.

à (× 3) • de ... à • ce • cet • avant (× 2)

.ıll 🛜	**14h32**	76 % ▭

◁ Messages   **Gaspard**

Salut Johan, je suis libre .... après-midi !
On va au cinéma, voir *Tous debout* ?

> C'est .... quelle heure ?

.... 16 h 30. Mais c'est un peu long. Ça dure trois heures.

> Impossible pour moi .... 20 h, j'ai chorale.

Il y a une autre séance, ... 20 h 30
.... 23 h 30. C'est bien aussi.

> D'accord ! Rendez-vous .... soir devant le cinéma.

.... 20 h 15, ça va ?

> .... si tu peux. Parce qu'il y a toujours beaucoup de monde !

5 Le magasin *Boutique* envoie une invitation pour un défilé. Complétez avec les expressions de temps.

jusqu'à • avant • le • à • après • au mois de

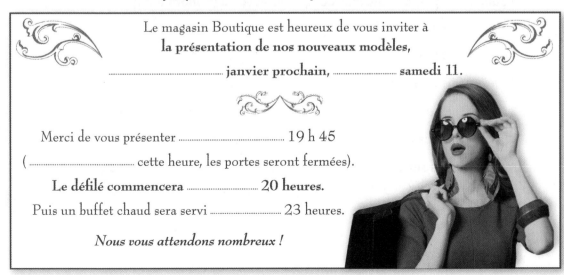

Le magasin Boutique est heureux de vous inviter à
la présentation de nos nouveaux modèles,
.... janvier prochain, ... samedi 11.

Merci de vous présenter .... 19 h 45
(........................ cette heure, les portes seront fermées).
Le défilé commencera .... 20 heures.
Puis un buffet chaud sera servi .... 23 heures.

Nous vous attendons nombreux !

12 Les pronoms toniques et les pronoms personnels compléments

▶ Pour informer sur une chose ou une personne
▶ Pour indiquer les relations entre des personnes

▶ Pour donner une instruction
▶ Pour organiser un événement

A Les pronoms toniques

Pronoms toniques	Pronoms sujets	Exemples
moi toi lui elle nous vous eux elles	je tu il elle nous vous ils elles	**Avec une préposition** (pour, chez, de, à) Ce film est pour les enfants ? – Non, il n'est pas **pour eux**. **Utilisé seul** **Moi**, je n'aime pas ce film.

(!) Le pronom tonique n'est jamais sujet.

1 **Associez les pronoms toniques aux pronoms sujets.**

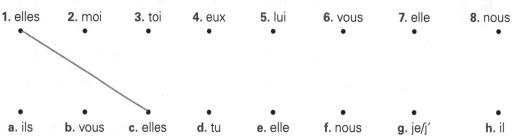

1. elles   2. moi   3. toi   4. eux   5. lui   6. vous   7. elle   8. nous

a. ils   b. vous   c. elles   d. tu   e. elle   f. nous   g. je/j'   h. il

2 **Soulignez la préposition. Puis complétez avec un pronom tonique.**

Ex. : *(je)* Tu parles de moi.

1. *(il)* Il rentre chez ....

2. *(elles)* Ce mél est pour ....

3. *(tu)* On passe chez ....

4. *(vous)* Nous parlons de ....

5. *(ils)* Vous pensez à ....

6. *(je)* Elle part avec ....

7. *(elle)* Il travaille avec ....

8. *(tu)* Je reste chez ....

3 **Guillaume et Gabriel parlent de sports. Complétez avec le pronom sujet ou le pronom tonique.**

– Moi, je fais du tennis. Et toi, Gabriel, ... **(1)** fais du sport ?

– Oui, du ski ! Dans ma famille, ... **(2)** adorons ça. Mes copains,

.... **(3)**, ils préfèrent le rugby. Et .... **(4)**, Guillaume,

dans ta famille, ... **(5)** faites d'autres sports ?

– Oui. Mon frère, ... **(6)**, il est champion de biathlon. Et ma sœur, elle,

.... **(7)** fait de la natation.

– Oui, c'est sûr, ... **(8)**, vous aimez le sport !

– Non, pas tous. Mon père, ... **(9)**, il n'aime pas le sport.

B Les pronoms personnels compléments d'objet directs (COD)

Ils sont utilisés avec un verbe + COD : *connaître une personne / une chose, voir une chose / une personne.*

Pour remplacer une personne	me/m'	Grégoire **me** connaît bien. Il **m'**invite souvent.
	te/t'	Il **t'**écoute et **te** comprend.
	nous	Il **nous** contacte souvent.
	vous	Il **vous** aide parfois.
Pour remplacer une personne ou une chose	le/l'	Je vois **Yann** lundi. Je **le** vois lundi.
	la/l'	Je prends souvent **ma voiture**. Je **la** prends souvent.
		J'aime beaucoup **ce musée**. Je **l'**aime beaucoup.
	les	Je rencontre souvent **ces gens**. Je **les** rencontre souvent.

4 **Complétez avec *me/m'* ou *te/t'*.**

> *Me, te, le, la* deviennent *m', t', l'* devant une voyelle ou un *h* muet.

Ex. : Tu me connais ? – Oui, bien sûr, je te connais !

1. Tu .... écoutes ?

– Oui, oui, je .... écoute.

2. Tu .... appelles ce soir ?

– Oui, pas de problème, je .... appelle ce soir !

3. Tu .... attends un instant ?

– Oui, je .... attends, mais pas longtemps.

4. Tu .... comprends ?

– Mais oui, bien sûr, je .... comprends très bien !

5. Tu .... invites bientôt ?

– D'accord, je .... invite samedi.

5 **a. Transformez avec le pronom complément *nous*.**

Léo et Julie *me connaissent* bien. Ils *m'appellent* souvent et ils *m'invitent* à dîner. Ils *m'aident* quand c'est nécessaire.

→ Léo et Julie nous connaissent bien. Ils _____ **(1)** souvent

et ils _____ **(2)** à dîner. Ils _____ **(3)**

quand c'est nécessaire.

b. Transformez avec le pronom complément *vous*.

Aline, je *te vois* tous les jours dans le métro. Je *te trouve* très jolie. Je *te regarde*, je *t'écoute* parler. Je *t'aime*.

→ Mademoiselle, je _____ **(4)** tous les jours dans le métro.

Je _____ **(5)** très jolie. Je _____ **(6)**,

je _____ **(7)** parler. Je _____ **(8)**.

6 **Transformez en inversant les pronoms.**

Ex. : Tu me regardes. → Je te regarde.

1. Nous t'accompagnons. → _____ accompagnes.

2. Vous nous cherchez. → _____ cherchons.

3. Je vous aide. → _____ aidez.

4. Tu nous conseilles. → _____ conseillons.

5. Je vous attends. → _____ attendez.

6. Nous vous comprenons. → _____ comprenez.

7. Je te préviens. → _____ préviens.

8. Nous te choisissons. → _____ choisis.

7 🎧 27 **Écoutez et écrivez le pronom complément que vous entendez. Soulignez le mot qu'il remplace.**

Ex. : Vous le prenez tous les matins ?　　　　*le métro / votre voiture*

1. Tu _____ connais ?　　　　*les stations / le trajet*

2. Je ne _____ aime pas.　　　　*ta moto / tes rollers*

3. On _____ prend.　　　　*la bicyclette / le bus*

4. Tu _____ regardes ?　　　　*le tableau / les horaires*

5. Vous _____ attendez longtemps ?　　　　*les avions / le taxi*

6. Nous _____ achetons avant le départ.　　　　*les billets / ce vélo*

7. Elle _____ rate souvent.　　　　*les tickets / le RER*

8 **Des amis organisent une fête. Entourez le pronom correct.**

Ex. : Qui fait le ménage ? – Moi, je (le) / la fais !

1. Qui range les vêtements ? – Toi, tu *la / les* ranges, ce sont tes vêtements !

2. La maison, qui *la / l'* décore ?

3. Qui achète les boissons ? – Lucas, il *l' / les* achète.

4. Et le gâteau, qui *la / le* prépare ?

5. La vaisselle, on *l' / la* essuie ensemble, c'est sympa !

6. Qui prévient les voisins ? – Toi, tu *les / le* préviens ! C'est plus poli.

9 **Complétez avec *le, la, l'* ou *les*.**

Ex. : Mes parents, je les écoute.

1. Ta sœur, tu .... aimes !

2. Nos enfants, nous .... aidons.

3. Son cousin, il .... déteste.

4. Leur grand-père, ils .... connaissent bien.

5. Ma grand-mère, je .... vois rarement.

6. Tes parents, tu .... comprends.

7. Notre famille, nous .... réunissons souvent.

10 **Des amis vont à une soirée. Mettez dans l'ordre.**

Ex. : le / vous / bien / connaissez / ? • Le quartier, vous le connaissez bien ?

1. vois / la / tu / ?

La maison, ...

2. le / tu / regardes / ?

Le plan, ...

3. nous / dans la poche / avons / les

Les tickets de bus, ...

4. avec impatience / vous / elle / attend

Delphine, ...

5. la / je / tout de suite / préviens

Delphine, ...

6. on / à pied / monte / les / !

Allez, les escaliers, ...

C Les pronoms personnels compléments d'objet indirects (COI)

Ils sont utilisés avec un verbe + COI : *écrire **à** une personne, demander **à** une personne...*

	me/m' te/t'	Sophie **me** téléphone et **m'**écrit souvent. Elle **te** parle et **t'**explique.
Pour remplacer une personne	lui	Je demande le chemin **au policier**. Je **lui** demande le chemin. Je réponds **à la dame**. Je **lui** réponds.
	nous vous leur	Elle **nous** pose des questions. Elle **vous** offre souvent des cadeaux. J'explique **aux étudiants**. Je **leur** explique.

11 **Complétez ces dialogues avec *me/m'*, *te/t'*, *nous* ou *vous*.**

Ex. : Vous me donnez des nouvelles très vite ? – Oui, nous vous téléphonons demain.

1. Tu m'écris, c'est sûr ? – Oui, je _____ envoie un texto.

2. Tu me poses une question ? – Oui, je _____ demande l'heure !

3. Vous nous parlez ? – Oui, je _____ dis « bonsoir ».

4. Qu'est-ce que tu me dis ? – Je ne _____ dis rien !

5. Je peux vous aider, madame ? – Oui, vous pouvez _____ indiquer le chemin, s'il vous plaît ?

6. Vous nous répondez rapidement ? – Je _____ réponds vendredi.

7. On t'offre un smartphone ! – Ah bon ? Vous _____ achetez un smartphone ?

12 **Mettez dans l'ordre.**

Ex. : vous / Je / une question facile / pose
Je vous pose une question facile.

1. un message / lui / Vous / laissez / ? _____

2. m' / Tu / le chemin / indiques _____

3. calmement / Nous / parlons / te _____

4. Elle / écrit / leur / rarement _____

5. lentement / expliquent / Ils / t' / ? _____

6. par mél / On / répond / vous _____

7. lui / demain / Vous / téléphonez / ? _____

13 **Lisez les informations. Puis associez aux personnes correspondantes.**

1. Je leur donne des informations sur le cours. •————• **a.** aux nouveaux étudiants

2. Je leur indique le chemin de la tour Eiffel. • • **b.** à ma petite-fille

3. Je lui offre des fleurs. • • **c.** au serveur

4. Je lui achète des jouets. • • **d.** à mes parents

5. Je leur téléphone souvent. • • **e.** à ma fiancée

6. Je lui commande un café. • • **f.** à des touristes

7. Je lui envoie le contrat. • • **g.** au client

14 🎧 28 **Écoutez les questions et complétez les réponses avec *lui* ou *leur*.**

Ex. : « Tu téléphones à ton assistante aujourd'hui ? »
– Oui je lui téléphone après le déjeuner.

1. Oui, il _____ écrit pour son anniversaire.

2. Oui, nous _____ parlons tous les jours.

3. Oui, généralement, elle _____ sourit.

4. Oui, il _____ répond toujours !

5. Oui, je _____ dis toujours la vérité.

6. Oui, bien sûr, elle _____ laisse des messages, c'est nécessaire.

7. Oui, on _____ demande de l'aide, tout de suite.

D La place des pronoms dans une phrase négative

Les pronoms personnels compléments se placent après la première partie de la négation *(ne)*.

Delphine **ne m'**entend **pas**.
Aurélie **ne te** parle **pas**.
Elle **ne le** voit **pas**.
Elle **ne leur** écrit **pas**.

15 **Associez.**

1. Il achète le journal. • • **a.** Il ne la poste pas !

2. Il allume la télévision. • • **b.** Il ne l'ouvre pas !

3. Il fait le café. • • **c.** Il ne la regarde pas !

4. Il rencontre ses amis. • • **d.** Il ne le lit pas !

5. Il reçoit son courrier. • • **e.** Il ne les voit pas !

6. Il met la radio. • • **f.** Il ne le boit pas !

7. Il écrit sa lettre. • • **g.** Il ne l'écoute pas !

16 **Mettez dans l'ordre.**

Ex. : écoutez / m' / ne / pas / Vous • Vous ne m'écoutez pas.

1. connais / les / ne / pas bien / Tu

....

2. Je / leur / ne / pas souvent / téléphone

....

3. Ils / lui / ne / jamais / répondent

....

4. aiment / Elles / les / ne / pas

....

5. entendons / l' / ne / Nous / pas assez

....

6. vous / pas / Je / parle / ne

....

7. ne / bien / pas / Il / comprend / nous

....

17 **Faites des phrases avec un pronom.**

Ex. : Ces gens sont désagréables. Je ne les aime pas. *(ne pas aimer)*

1. Je n'ai pas l'adresse de Paul.

Je .... *(ne pas écrire)*

2. Stéphanie n'est pas sympa.

Je .... *(ne pas contacter)*

3. Hélène chante doucement.

Je .... *(ne pas entendre)*

4. Thomas parle mal.

Je .... *(ne pas comprendre)*

5. Elsa a oublié son portable.

Je .... *(ne pas téléphoner)*

6. Je n'ai pas l'adresse de Max et Annah.

Je .... *(ne pas inviter)*

7. J'ai une mauvaise relation avec mes cousins.

Je .... *(ne pas parler)*

BILAN

❶ Mettez dans l'ordre.

1. L'avion, ... (prends / ne / pas toujours / le / je)

2. Les touristes, ... (leur / parles / souvent / tu)

3. Ma sœur, ... (part / moi / elle / avec)

4. Nos amis canadiens, ... (chez / allons / eux / nous)

5. Le policier, ... (me / mes papiers / demande / il)

6. Les guides, ... (beaucoup / remerciez / vous / les)

7. Tous ces cadeaux, ... (toi / pas / sont / ne / ils / pour)

❷ Cathy parle de son quartier. Soulignez le pronom correct.

1. Notre quartier, nous *l'* / *lui* aimons. Et nos amis, nous *les* / *le* invitons souvent.

2. Mes copines, je *les* / *le* appelle et je vais au café avec *les* / *elles*.

3. La librairie, mes parents *l'* / *la* adorent, ils ont beaucoup de livres chez *leur* / *eux*.

4. La serveuse, je *la* / *lui* dis bonjour et je *l'* / *la* remercie.

5. Les voisins, on *leur* / *les* parle, mais on ne *les* / *l'* connaît pas bien.

6. Le métro et le bus, on *la* / *les* a près de la maison, mais on *le* / *les* déteste.

7. Ma carte de transport, je *les* / *l'* ai toujours avec *vous* / *moi* et je ne *la* / *le* prête pas.

❸ Lenny est très curieux et Stéphanie lui répond. Répondez avec un pronom.

– Stéphanie, tu connais le gardien de l'immeuble ?

– Non, Lenny, je .... **(1)**.

– Vous prenez le métro, ta sœur et toi ?

– Non, nous .... **(2)** souvent. Mais le bus,

nous .... **(3)** régulièrement.

– Et tu utilises aussi ta voiture dans Paris ?

– Oui, mais je .... **(4)** beaucoup, je ....

.... **(5)** avec des collègues, en général.

– Tu écris à ta grand-mère, toi ?

– Oui bien sûr, je .... **(6)** souvent, je .... **(7)** envoie des méls.

– Et tu téléphones à tes parents ?

– En ce moment, ils sont en voyage, alors je .... **(8)**.

– Tu connais bien tes voisins ?

– Non, je .... **(9)** très bien.

BILAN

4 Voici des petites annonces. Soulignez le pronom correct.

Je garde vos enfants le soir, et
je *les / leur* emmène au parc
le mercredi. Vous pouvez *me / moi*
contacter le soir, chez *toi / moi* :
01 43 ⬚⬚⬚ ou sur mon
portable : 06 67 ⬚⬚⬚

Tu as des difficultés en maths ?
Je *l' / t'* aide ! Tu *me / le* téléphones
et je *t' / l'* explique, ou bien tu *m' / me*
appelles et je viens chez *moi / toi*.
06 66 ⬚⬚⬚

Je *vous / les* aide pour les problèmes
d'ordinateur. Je *l' / m'* emporte
chez *moi / nous* ou bien je viens
chez *eux / vous*.
07 21 ⬚⬚⬚

Anglais, espagnol, chinois :
je m'occupe de vos traductions.
Je *la / les* fais rapidement : vous
nous / m' envoyez vos documents
et je *les / le* renvoie dans les 48 h.
02 34 ⬚⬚⬚

5 Voici un extrait du roman *Méligreg*. Complétez avec le pronom correct.

MÉLIGREG   115

Grégoire arrête sa voiture. Il .... gare près du café où il retrouve ses amis.

Il .... fait signe et vient s'asseoir à côté d'............... . Il appelle la

serveuse, elle .... regarde et tous les deux se reconnaissent : *Grégoire ! Amélie !*

Elle s'approche de .... , il se lève et il .... embrasse. Puis il se

rassoit et elle reprend son service. Les amis de Grégoire sont très surpris :

« Amélie, tu .... connais ? !

– Mais oui, entre .... et .... , c'est une longue histoire !

Je .... connais depuis l'école !

– Ah bon ! Tu .... racontes ou tu gardes ça pour .... ? »

Les pronoms relatifs
qui et *que*

13

❯ Pour caractériser une chose ou une personne
❯ Pour situer et décrire un lieu

❯ Pour donner une explication ou une précision
❯ Pour exprimer ses goûts

A Le pronom relatif *qui*

Qui est sujet	**qui** remplace une personne	J'ai **une amie**. **Elle** parle quatre langues. J'ai **une amie** qui parle quatre langues.
	qui remplace une chose	Je travaille dans **un magasin**. **Il** est en centre-ville. Je travaille dans **un magasin** qui est en centre-ville.

1 **a. Choisissez la phrase qui correspond au métier.**

**Elle coupe les cheveux. • Il fait le pain. • Elles soignent les malades. •
Ils jouent dans un théâtre. • Ils font des interviews. • Il conduit une voiture. •
Il crée des vêtements.**

Ex. : Le boulanger est une personne. Il fait le pain.

1. La coiffeuse est une personne. ⎯⎯⎯⎯⎯⎯⎯⎯⎯⎯⎯⎯⎯⎯⎯⎯⎯⎯⎯

2. Le chauffeur est une personne. ⎯⎯⎯⎯⎯⎯⎯⎯⎯⎯⎯⎯⎯⎯⎯⎯⎯⎯

3. Les infirmières sont des personnes. ⎯⎯⎯⎯⎯⎯⎯⎯⎯⎯⎯⎯⎯⎯⎯⎯

4. Le styliste est une personne. ⎯⎯⎯⎯⎯⎯⎯⎯⎯⎯⎯⎯⎯⎯⎯⎯⎯⎯

5. Les journalistes sont des personnes. ⎯⎯⎯⎯⎯⎯⎯⎯⎯⎯⎯⎯⎯⎯⎯

6. Les comédiens sont des personnes. ⎯⎯⎯⎯⎯⎯⎯⎯⎯⎯⎯⎯⎯⎯⎯

b. Faites une seule phrase avec le pronom relatif *qui*.

Ex. : Le boulanger est une personne qui fait le pain.

1. La coiffeuse ⎯⎯⎯⎯⎯⎯⎯⎯⎯⎯⎯⎯⎯⎯⎯⎯⎯⎯⎯⎯⎯⎯⎯⎯⎯⎯

2. Le chauffeur ⎯⎯⎯⎯⎯⎯⎯⎯⎯⎯⎯⎯⎯⎯⎯⎯⎯⎯⎯⎯⎯⎯⎯⎯⎯⎯

3. Les infirmières ⎯⎯⎯⎯⎯⎯⎯⎯⎯⎯⎯⎯⎯⎯⎯⎯⎯⎯⎯⎯⎯⎯⎯⎯

4. Le styliste ⎯⎯⎯⎯⎯⎯⎯⎯⎯⎯⎯⎯⎯⎯⎯⎯⎯⎯⎯⎯⎯⎯⎯⎯⎯⎯

5. Les journalistes ⎯⎯⎯⎯⎯⎯⎯⎯⎯⎯⎯⎯⎯⎯⎯⎯⎯⎯⎯⎯⎯⎯⎯

6. Les comédiens ⎯⎯⎯⎯⎯⎯⎯⎯⎯⎯⎯⎯⎯⎯⎯⎯⎯⎯⎯⎯⎯⎯⎯⎯

2 **Choisissez une phrase de la liste. Puis complétez la description de ces objets avec le pronom relatif** *qui.*

> **il vole** • **il est confortable** • **il protège de la pluie** • **il donne l'heure** •
> ~~**il reçoit des touristes**~~ • **il permet de communiquer** • **il présente des informations**

Ex. : Un hôtel, c'est un endroit qui reçoit des touristes.

1. Un parapluie, c'est un objet ....

2. Un réveil, c'est un objet ....

3. Un fauteuil, c'est un meuble ....

4. Un avion, c'est un moyen de transport ....

5. Un journal, c'est un objet ....

6. Un téléphone, c'est un objet ....

3 **Faites des phrases comme dans l'exemple.**

Ex. : Je lis un livre. Il parle de voyages. • Je lis un livre qui parle de voyages.

1. Elle écoute une chanson. Cette chanson parle d'amour.

.... d'amour.

2. Tu lis un journal. Il donne les programmes de la télévision.

.... les programmes de la télévision.

3. Vous regardez un film. Il raconte une histoire vraie.

.... une histoire vraie.

4. J'ai vu un spectacle. Il dure trois heures.

.... trois heures.

5. Il écrit un roman. Il raconte la vie de Marie Curie.

.... la vie de Marie Curie.

6. Je chante dans une chorale. Elle est spécialisée dans le jazz.

.... est spécialisée dans le jazz.

4 **Florian donne des informations sur la vie de son quartier. Mettez dans l'ordre.**

Ex. : Vous / habite / la personne / au 5ᵉ étage / connaissez / qui ?

Vous connaissez la personne qui habite au 5ᵉ étage ?

1. va souvent / qui / dans ce magasin / reste ouvert tard / On

....

2. les gens / invitons / qui / sont nouveaux / dans le quartier / Nous

....

3. Il y a / la nuit / circulent / des bus / qui

....

4. La voisine / un appartement / me plaît beaucoup / qui / a

....

5. Nos enfants / en face de chez nous / qui / à l'école / vont / est

....

6. qui / Je n'aime pas / font / les motos / beaucoup de bruit

....

5 **Présentez les fonctions de ces personnes comme dans l'exemple.**

Ex. : Bonjour, je suis le gardien. *(moi)* → C'est moi qui suis le gardien.

1. Je vais vous conduire à votre bureau. *(moi)* → ....

2. Tu reçois les appels téléphoniques. *(toi)* → ....

3. Nous sommes responsables du secteur Asie. *(nous)*

→ ....

4. Vous êtes l'assistant du directeur. *(vous)* → ....

5. Elle s'occupe du courrier. *(elle)* → ....

6. Il est chargé de la communication. *(lui)* → ....

B Le pronom relatif *que*

Que/Qu' est COD	**que/qu'** remplace une personne	Je vais inviter un ami. Tu ne connais pas **mon ami**. Je vais inviter **un ami que** tu ne connais pas.
	que/qu' remplace une chose	J'ai revu un film. J'aime beaucoup **ce film**. J'ai revu **un film que** j'aime beaucoup.

6 **Faites une seule phrase avec le pronom relatif *que/qu'*.**

Devant une voyelle et un *h* muet *que* devient *qu'*.

Ex. : Dans ce film, il y a une actrice. Tu adores cette actrice.
Dans ce film, il y a une actrice que tu adores.

1. C'est un chanteur. J'écoute souvent ce chanteur.

C'est un chanteur ....

2. Vous aimez ces artistes. Je ne connais pas ces artistes.

Je ne connais pas ces artistes _____

3. C'est un photographe célèbre. Elle ne le connaît pas.

C'est un photographe célèbre _____

4. Nous détestons ce danseur. Ils l'admirent.

Ils admirent ce danseur _____

5. Dans ce film, il y a des acteurs. On aime beaucoup ces acteurs.

Dans ce film, il y a des acteurs _____

6. Ils ont des tableaux de ce peintre. Je ne l'aime pas.

Ils ont des tableaux de ce peintre _____

7 **Complétez avec *que/qu'*.**

Ex. : Nous n'avons pas le modèle que vous demandez.

1. Je n'aime pas les ceintures _____ ils vendent.

2. Ce magasin vend la marque _____ elles cherchent.

3. Nous n'avons pas la taille _____ vous voulez.

4. Je ne trouve pas les chaussettes _____ elle veut.

5. Tu aimes la chemise _____ il porte ?

6. Elle adore le pull _____ j'ai.

8 **Des personnes expriment leurs goûts. Mettez dans l'ordre.**

Ex. : les livres / Je déteste / tu lis / que • Je déteste les livres que tu lis.

1. que / les plats / On n'aime pas / vous préparez

_____

2. les amis / tu fréquentes / que / J'aime bien

_____

3. le parfum / je mets / Lisa adore / que

_____

4. qu' / Je n'aime pas / elles portent / les vêtements

_____

5. les musiques / j'écoute / que / Antoine préfère

_____

6. tu regardes / Elle aime beaucoup / que / les séries

_____

BILAN

1 🎧 **29** **Écoutez et indiquez le pronom que vous entendez.**

	1	2	3	4	5	6	7	8	9	10
qui										
que/qu'										

2 **Clara décrit son quartier. Complétez avec *qui* ou *que/qu'*.**

Dans mon quartier, il y a...

1. la rue .... nous prenons pour aller au marché.

2. un passage .... conduit à la gare.

3. la place .... on traverse souvent.

4. l'avenue .... arrive à mon université.

5. une boutique .... vend des vêtements pas très chers.

6. un parc .... les enfants adorent.

7. l'arrêt de bus .... se trouve près de la poste.

3 **Eden parle de ses goûts. Complétez avec *qui* ou *que/qu'*.**

1. Je n'aime pas le parfum .... Mina porte.

2. J'aime bien la voiture .... mes amis veulent acheter.

3. Je ne supporte pas les gens .... parlent fort dans les transports.

4. J'ai horreur des personnes .... arrivent en retard.

5. J'aime beaucoup le cadeau .... elle veut offrir à Corentin.

6. J'aime voir des films .... racontent une histoire vraie.

7. Je déteste la musique .... mon frère écoute.

4 **Karine présente son village. Soulignez le pronom relatif correct.**

Dans mon village, il y a des personnes *que / qui* **(1)** sont très sympathiques, des amis *qu' / qui* **(2)**

on invite souvent. Il y a un château *qu' / qui* **(3)** est très connu, *qui / que* **(4)** les touristes visitent toujours,

une rivière *que / qui* **(5)** s'appelle « la Belle» et un vieux pont *qui / qu'* **(6)** est interdit aux voitures. Il y a

aussi quelques commerces *qui / que* **(7)** ferment, mais heureusement on voit des jeunes *que / qui* **(8)**

viennent s'installer, des familles avec des enfants *que / qui* **(9)** mettent de l'animation dans le village.

C'est vraiment un endroit *qu' / qui* on aime **(10)** !

BILAN

5 Louis et Ingrid prêtent leur appartement à des amis. Ils leur donnent des informations. Complétez avec un pronom relatif.

De : louis@email.fr

À : arnaud@email.com

Objet : Bienvenue chez nous !

Chers amis,

Nous sommes ravis de vous laisser notre appartement. Nous laissons les clés

chez la voisine .... habite l'appartement en face de chez nous.

Vous pouvez vous installer dans la chambre d'Hugo .... est confortable

et .... se trouve à côté du séjour.

Et puis, si vous avez un problème, vous pouvez vous adresser à M. Bois : c'est lui

.... remplace notre gardien .... est malade. Et c'est lui aussi

.... fait le ménage dans l'immeuble. M. Bois est un homme très aimable

.... nous apprécions beaucoup. Pour aller au centre-ville, vous avez des bus

.... passent tous les quarts d'heure.

Bon séjour ! Louis & Ingrid

6 Complétez les devinettes avec un pronom relatif. Puis retrouvez l'objet.

une montre • des lunettes • un ticket de métro • une clé

Je suis un objet .... est petit, ... on achète souvent et .... s'utilise une seule fois.
Je suis ? ....

Je suis un objet .... on met au bras, ... indique l'heure et .... on ne regarde pas en vacances.
Je suis ? ....

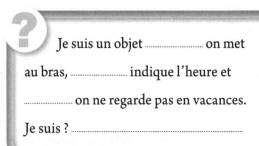

Je suis un objet .... est en métal, ... on utilise pour ouvrir une porte et .... il ne faut pas perdre.
Je suis ? ....

Je suis un objet .... on porte sur le nez, ... aide à voir facilement et .... est très fragile.
Je suis ? ....

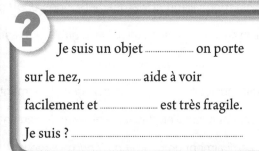

Le futur proche **14**

❯ Pour exprimer une action future ❯ Pour organiser un événement
❯ Pour formuler un projet

A Le futur proche à la forme affirmative

Formation	Verbes simples	Verbes pronominaux
Aller **au présent** + **verbe à l'infinitif**	Je **vais faire** un voyage. Tu **vas acheter** ton billet. Il/Elle/On **va aller** à la gare. Nous **allons faire** les valises. Vous **allez visiter** la région. Ils/Elles **vont monter** dans le train.	Je **vais m'informer**. Tu **vas te renseigner**. Il/Elle/On **va se dépêcher**. Nous **allons nous préparer**. Vous **allez vous promener**. Où ils/elles **vont s'installer** ?

(!) Attention à l'ordre des mots pour les verbes pronominaux.

1 **Des personnes présentent leurs projets professionnels. Associez.**

1. On •
2. Je •
3. Nous •
4. Il •
5. Vous •
6. Ils •
7. Tu •

• **a.** allons nous inscrire à la fac l'année prochaine.
• **b.** vont suivre une nouvelle formation.
• **c.** va changer de travail dans deux mois.
• **d.** allez partir travailler à l'étranger le mois prochain.
• **e.** vais commencer un stage demain.
• **f.** va demander une promotion.
• **g.** vas obtenir un nouveau poste dans un mois.

2 **Sarah organise le mariage de sa fille Élise. Conjuguez au futur proche.**

Ex. : Moi, je vais faire *(faire)* la robe de mariée.

1. Étienne _____ *(louer)* une belle voiture.

2. Laura et toi, vous _____ *(aller)* chez le coiffeur, bien sûr !

3. Élise _____ *(préparer)* sa liste de cadeaux.

4. Élise et Étienne _____ *(envoyer)* les invitations.

5. Toi, tu _____ *(commander)* les fleurs, s'il te plaît.

6. Et tous ensemble, nous _____ *(décorer)* la maison.

3 **Complétez au futur proche comme dans l'exemple.**

> *Me, te, se* deviennent
> *m', t', s'* devant une voyelle

Ex. : *(se reposer)* Je vais me reposer.

1. *(s'endormir)* Tu ....

2. *(se coucher)* On ....

3. *(s'ennuyer)* Elles ....

4. *(se coiffer)* Vous ....

5. *(se présenter)* Je ....

6. *(s'organiser)* Nous ....

7. *(s'arrêter)* Vous ....

8. *(s'informer)* Ils ....

4 **Daniel et Sasha sortent ce soir. Complétez avec un verbe de la liste au futur proche.**

s'habiller • se serrer • s'amuser • ~~se préparer~~ • se déguiser •
se dépêcher • s'installer • se retrouver

Ex. : Il est déjà 8 heures ! Je vais me préparer rapidement.

1. Nous .... élégamment.

2. Toi, tu .... en clown ?

3. Le spectacle commence à 20 heures, on .... !

4. C'est une comédie. Vous ....

5. Elles arrivent tôt. Elles .... à une bonne place.

6. Mes cousins viennent aussi. On .... à l'entrée de la salle.

7. Nous prenons un taxi. Nous .... pour monter tous ensemble !

5 **Un couple prévoit l'organisation de son voyage. Mettez dans l'ordre.**

Ex. : On / s' / dans une agence / inscrire / va • On va s'inscrire dans une agence.

1. me / pour le voyage / Je / préparer / vais

....

2. les billets d'avion / prendre / va / On

....

3. louer / vas / une voiture / Tu

....

4. Nous / réserver / allons / les chambres d'hôtel

....

5. s' / sur les tarifs / vont / informer / Ils

....

6. Elle / se / renseigner / à l'office de tourisme / va

....

7. allez / un visa / Vous / demander

....

6 **Complétez au futur proche comme dans l'exemple.**

Ex. : Quand est-ce que tu vas partir ? – Je vais partir bientôt.

1. Comment .... ? – Il va revenir en train.

2. Avec qui .... ? – Elle va voyager avec Michel.

3. Où .... ? – Mes amis vont travailler à l'étranger.

4. Qu' .... ? – Nous allons étudier l'économie.

5. Quand .... ? – Je vais commencer à travailler demain.

6. Où .... ? – Elles vont habiter à la Cité universitaire.

7. Pourquoi .... ?

– On va apprendre à conduire pour voyager en voiture.

B │ Le futur proche à la forme négative

Verbes simples	Verbes pronominaux
Je **ne** vais **pas** sortir.	Je **ne** vais **pas** me réveiller.
Tu **ne** vas **pas** rentrer.	Tu **ne** vas **pas** te maquiller.
Il/Elle/On **ne** va **pas** manger.	Il/Elle/On **ne** va **pas** s'amuser.
Nous **n'**allons **pas** dormir.	Nous **n'**allons **pas** nous entendre.
Vous **n'**allez **pas** rester.	Vous **n'**allez **pas** vous coiffer.
Ils/Elles **ne** vont **pas** danser.	Ils/Elles **ne** vont **pas** s'asseoir.

7 **Mettez dans l'ordre.**

Ex. : Aujourd'hui, / ne / vais / pas / je / dire bonjour • Aujourd'hui, je ne vais pas dire bonjour.

1. Tu / ne / pas / vas / aux copains / parler

....

2. au professeur / n' / répondre / allons / pas / Nous

....

3. jouer / ne / pas / va / avec les autres / On

....

4. vos leçons / allez / Vous / pas / n' / apprendre

....

5. Elles / leurs exercices / pas / faire / vont / ne

....

6. ne / réviser / Je / pas / vais / les conjugaisons

....

7. vont / leur copie / pas / Ils / rendre / ne

....

8. ne / avec nos enseignants / pas / être / polis / va / On

....

8 🎧 **30** **Écoutez et indiquez si les phrases sont au présent ou au futur proche.**

Ex. : « Ils ne vont pas se brosser les dents. »

	Ex.	1	2	3	4	5	6	7	8	9	10
Présent											
Futur proche	✔										

9 **Mettez à la forme négative comme dans l'exemple.**

Ex. : Moi, je vais partir. Mais toi, tu ne vas pas partir.

1. Lui, il va rentrer tard. Mais moi, je .... tard.

2. Elle, elle va venir. Mais vous, vous ....

3. Nous, nous allons finir à 8 heures. Mais eux, ils .... à 8 heures.

4. Toi, tu vas rester. Mais elles, elles ....

5. Moi, je vais prendre le métro. Mais, toi, tu .... le métro.

6. Vous, vous allez aller au cinéma. Mais nous, nous .... au cinéma.

7. Eux, ils vont regarder la télévision. Mais vous, vous .... la télévision.

8. Vous, vous allez rentrer tôt ce soir. Mais elles, elles .... tôt ce soir.

BILAN

1 **a. Ces personnes expriment leurs projets pour l'été. Associez.**

1. Le professeur •   • **a.** se marier et organiser une fête.

2. Les amoureux •   • **b.** visiter l'Afrique et s'arrêter au Kenya.

3. Les enfants •   • **c.** corriger les examens et passer du temps en famille.

4. Le commerçant •   • **d.** aller à la plage et s'amuser dans le sable.

5. Le voyageur •   • **e.** se reposer après les examens et partir en vacances.

6. Les étudiants •   • **f.** fermer le magasin et se préparer pour la saison prochaine.

b. Écrivez les phrases au futur proche.

1. Le professeur : Je ....

2. Les amoureux : Nous ....

3. Les enfants : Nous ....

4. Le commerçant : Je ....

5. Le voyageur : Je ....

6. Les étudiants : Nous ....

2 **Des personnes ont des projets pour le week-end prochain. Mettez dans l'ordre.**

1. ne / pas / Tu / lever / vas / te / tôt ....

2. un brunch / Patrick / préparer / va ....

3. à la maison / On / ne / pas / rester / va ....

4. un bon film / va / On / aller voir ....

5. de Charles et Sophie / à la fête / Ils / aller / vont ....

6. n' / ennuyer / Vous / pas / vous / allez ....

7. Ça / un dimanche spécial / va / être ....

3 **Mettez au futur proche les différents programmes.**

1. *(travailler / ne pas se coucher tôt)* Ce soir, je ....

2. *(étudier / ne pas se promener)* Ce week-end, il ....

3. *(déménager / ne pas se reposer)* Dimanche, vous ....

4. *(voyager / ne pas s'arrêter)* Cet été, nous ....

5. *(passer un examen / ne pas s'amuser)* La semaine prochaine, ils ....

   ....

6. *(aller à un anniversaire / ne pas s'ennuyer)* Samedi soir, je ....

   ....

▶▶ 119

BILAN

4 Élise interroge Lucas sur ses projets pour le week-end. Complétez les textos au futur proche.

.ull 🛜	**18:47**	91 % ▭

◀ Messages **Élise**

Lucas, tu _____ *(faire)* quoi ce week-end ?

> Je crois que je _____ *(se promener)* à Versailles.

Bonne idée ! Tu sais quel temps il _____ *(faire)* ?

> Beau ! Il _____ *(ne pas pleuvoir).*

Tu _____ *(aller)* là-bas seul ?

> Non, je _____ *(proposer)* à un ami.

Et vous _____ *(pique-niquer)* dans le parc ?

> Oui, bien sûr. Tu veux venir avec nous ?

Non, je ne peux pas. J'ai un examen bientôt, je _____ *(réviser)* tout le week-end.

> Tu _____ *(ne pas s'amuser).*
> Bon courage !

Merci, et toi, bonne journée à Versailles !

5 Complétez cette critique de film au futur proche.

L'AVIS DU SPÉCIALISTE ★★★

Alexis et Léna partent explorer la Sibérie. Ensemble, ils _____ *(faire)* le tour du lac Baïkal. Ils _____ *(marcher)* pendant plusieurs jours mais ils _____ *(se perdre).* Des villageois _____ *(trouver)* Léna. Elle _____ *(rester)* avec eux et elle _____ *(vivre)* comme eux. Alexis, lui, _____ *(passer)* plusieurs mois sur le bateau d'un pêcheur. Les deux héros _____ *(se retrouver),* mais longtemps après. Vous _____ *(suivre)* leurs aventures et vous _____ *(aimer)* ces paysages uniques !

Le passé composé **15**

❯ Pour dire ce que l'on a fait
❯ Pour raconter des événements passés

❯ Pour raconter un souvenir

Le passé composé est un temps utilisé pour parler d'une action passée.
Il est formé avec le verbe *avoir* ou *être* au présent et le participe passé.

A La formation du participe passé

Les verbes en -ER

Infinitifs	Participes passés
-er	**-é**
chant**er**	chant**é**
commenc**er**	commenc**é**
parl**er**	parl**é**
remerci**er**	remerci**é**
envoy**er**	envoy**é**

1 **Écrivez les infinitifs et les participes passés des verbes soulignés.**

	Infinitif	*Participe passé*

Ex. : J'écoute la radio. écouter écouté

1. Tu regardes la télévision. ....

2. Nous mangeons du fromage. ....

3. Il dîne tard le soir. ....

4. Ils étudient l'informatique. ....

5. Vous déjeunez vers 14 heures. ....

6. Elles discutent ensemble. ....

7. On joue aux cartes. ....

8. Ils photographient les monuments. ....

9. On dessine. ....

10. Elle apprécie ce cadeau. ....

Les verbes en -IR, -OIR, -RE

	Participes passés	Exemples
Verbes en -ir	-i	finir → fini réussir → réussi
	-ert	ouvrir → ouvert
	-u	venir → venu
Verbes en -oir	-u	voir → vu vouloir → voulu
Verbes en -re	-u	répondre → répondu
	-is	prendre → pris
	-it	écrire → écrit

⚠ Certains participes passés sont irréguliers : *avoir (eu), être (été), faire (fait), vivre (vécu), naître (né), mourir (mort)…*

2 Associez les infinitifs et les participes passés.

1. apprendre •   • a. fini
2. comprendre •   • b. appris
3. dormir •   • c. écrit
4. dire •   • d. compris
5. écrire •   • e. dormi
6. finir •   • f. dit

7. mettre •   • g. sorti
8. partir •   • h. ri
9. prendre •   • i. parti
10. rire •   • j. pris
11. servir •   • k. mis
12. sortir •   • l. servi

3 Associez les infinitifs et les participes passés.

1. attendre •   • a. lu
2. perdre •   • b. connu
3. devoir •   • c. perdu
4. avoir •   • d. devenu
5. obtenir •   • e. attendu
6. devenir •   • f. dû
7. connaître •   • g. eu
8. lire •   • h. entendu
9. entendre •   • i. obtenu

10. descendre •   • j. bu
11. boire •   • k. descendu
12. venir •   • l. fallu
13. pleuvoir •   • m. vécu
14. voir •   • n. tenu
15. tenir •   • o. pu
16. vivre •   • p. venu
17. pouvoir •   • q. vu
18. falloir •   • r. plu

4 Trouvez les participes passés et classez-les.

~~apprendre~~ • boire • choisir • conduire • courir • devoir • dire • écrire • lire • mettre • offrir •
ouvrir • partir • pouvoir • prendre • recevoir • réfléchir • savoir • sortir • vouloir

Participes en *-i* : ....

Participes en *-u* : ....

Participes en *-it* : ....

Participes en *-is* : appris, ...

Participes en *-ert* : ....

B Le passé composé avec *avoir*

La majorité des verbes se conjuguent avec l'auxiliaire *avoir*.

Infinitifs	Exemples
manger	J'**ai mangé** une excellente raclette.
mettre	Tu **as mis** un jean et un tee-shirt.
bavarder	Il/Elle/On **a bavardé**.
boire	Nous **avons bu** un café.
écouter	Vous **avez écouté** du jazz.
prendre	Ils/Elles **ont pris** un taxi pour rentrer.

5 **Associez les pronoms sujets aux verbes.**

1. Il •
2. Nous •
3. Vous •
4. Tu •
5. Elles •
6. J' •
7. On •

• **a.** avez regardé la télévision ?
• **b.** as perdu quelque chose ?
• **c.** ai eu très peur.
• **d.** ont joué au tennis.
• **e.** a mis nos gants.
• **f.** avons attendu longtemps.
• **g.** a oublié ses clés.

6 **Des personnes racontent des événements passés. Conjuguez au passé composé.**

Un bon repas

Hier, j'ai mangé *(manger)* du poisson, j'.. **(1)** *(goûter)*

les crevettes et j'.. **(2)** *(essayer)* le lapin à la moutarde. Excellent !

Un fils maladroit

Mon fils est vraiment maladroit ! Hier soir, il .... **(3)** *(casser)*

un verre en cristal et il .... **(4)** *(déchirer)* un billet de banque.

En plus, il .... **(5)** *(brûler)* le tapis du salon et, pour finir,

il .... **(6)** *(glisser)* dans l'escalier.

Un beau dimanche

Dimanche dernier, nous .... **(7)** *(déjeuner)* très tard.

Nous .... **(8)** *(ranger)* la maison et nous ....

.... **(9)** *(regarder)* un film. Après, nous .... **(10)** *(écouter)*

de la musique et nous .... **(11)** *(dîner)* sur la terrasse.

Quel beau dimanche !

7 **Conjuguez au passé composé les verbes soulignés.**

Ex. : Sophie boit du café au petit-déjeuner, mais hier matin, elle a bu du thé.

1. Je prends le métro. Hier, j'... le bus.

2. Nous courons tous les matins. Dimanche dernier, nous .... l'après-midi.

3. Vous finissez tôt. La semaine dernière, vous .... tard.

4. Tu fais du vélo le samedi. Samedi dernier, tu .... de la marche à pied.

5. Il met un costume pour aller au bureau. Hier, il .... un jean.

6. Je reçois le journal avant 8 heures. Hier, j' .... le journal à 11 heures.

7. Vous écrivez des méls. Ce matin, vous .... un texto.

8 **Nathanaël a organisé une randonnée à vélo en Provence. Conjuguez au passé composé.**

Ex. : Il a acheté *(acheter)* des guides et des cartes de la région.

1. Il .... *(choisir)* les villes à visiter.

2. Il .... *(faire)* le choix des hôtels.

3. Il .... *(prévoir)* un budget.

4. Il .... *(téléphoner)* aux hôtels pour réserver une chambre.

5. Il .... *(prendre)* une boîte de médicaments.

6. Il .... *(vérifier)* son matériel.

7. Il .... *(prévenir)* sa famille.

C Le passé composé avec *être*

15 verbes et leurs composés

aller, arriver, descendre, entrer, monter, mourir, naître, partir, passer, rentrer, rester, retourner, sortir, tomber, venir devenir, repartir…	Je **suis descendu(e)** à la cave. Tu **es parti(e)** tôt. Il/Elle/On **est arrivé(e)(s)** hier. Nous **sommes sorti(e)s** ensemble. Vous **êtes venu(e)(s)** souvent. Ils **sont nés** à Nice. Elles **sont nées** à Lyon.

Le participe passé s'accorde (masculin, féminin, singulier, pluriel) avec le sujet.
Ex.: **Marie** *est parti***e** *la semaine dernière.* **Alex et Hugo** *sont revenu***s** *ce matin.*

9 **Soulignez la forme correcte du participe passé.**

Ex. : Hier soir, il est *rentré / rentrée / rentrés* vers minuit.

1. Elle est *parti / partie / parties* la première et elle est *arrivé / arrivée / arrivés* la dernière !

2. Ma femme et moi, nous sommes *allé / allés / allées* sur la Côte d'Opale l'année dernière.

3. Les filles, vous n'êtes pas *sortie / sortis / sorties* hier soir ?

– Non, nous sommes *restée / restés / restées* à la maison.

4. Marc, mon cher neveu, tu es *venu / venue / venues* à quelle heure hier soir ?

5. Ça ne va pas, petite fille ? Tu es *tombé / tombée / tombées* ?

6. Et vous madame Louison, vous êtes *né / née / nés* en quelle année ?

7. Pour visiter la tour Eiffel, je suis *monté / montée / montées* avec l'ascenseur mais je suis

descendu / descendue / descendues à pied comme un grand !

10 **Charline raconte son enfance. Accordez les participes passés.**

Ex. : Je m'appelle Charline. Je suis née à Paris en 1992.

1. En 1996, mon père est parti................ à Oslo pour son travail.

2. Six mois plus tard, ma mère, ma sœur et moi sommes allé................ vivre avec lui.

3. Nous sommes tous resté................ en Norvège pendant 8 ans.

4. Ma sœur et moi sommes revenu................ à Paris quand nous sommes entré................ au collège.

5. Nous sommes resté................ avec nos grands-parents.

6. Mes parents sont rentré................ en France en 2008.

7. En 2012, ma sœur aînée est allé................ vivre à Rome.

11 **Conjuguez les verbes au passé composé.**

Hier soir

– Qu'est-ce que tu as fait *(faire)* hier soir, ma petite Céline ?

– Je .... **(1)** *(sortir)* avec des amis, nous ....

.... **(2)** *(aller)* au restaurant et nous .... **(3)**

(rentrer) à minuit.

Des années au Canada

– Laurent, Magali, qu'est-ce que vous avez fait pendant toutes ces années, les amis ?

– Nous .... **(4)** *(partir)* au Canada. Nous ....

.... **(5)** *(rester)* trois ans à Montréal, nous .... **(6)**

(aller) à Toronto. Nous .... **(7)** *(revenir)* à Montréal six mois

et puis nous .... **(8)** *(rentrer)* en France.

Où sont les enfants ?

– Tu as vu les enfants ?

– Oui, ils .... **(9)** *(rentrer)*, ils ....

.... **(10)** *(ressortir)*, ils .... **(11)** *(monter)*, ils ....

.... **(12)** *(descendre)*. Ce sont des enfants !

Les verbes pronominaux

> Je **me suis réveillé(e)** à 8 heures.
> Tu **t'es levé(e)** assez tard.
> Il/Elle/On **s'est douché(e)(s)** rapidement.
> Nous **nous sommes arrêté(e)s** pour déjeuner.
> Vous **vous êtes assis(e)(s)** quelques instants.
> Ils/Elles **se sont couché(e)s** de bonne heure.

(!) Le participe passé s'accorde (masculin, féminin, singulier, pluriel) avec le sujet.
Ex.: *Marie* s'est endormi**e** tôt. *Alex et Hugo* se sont couché**s** tard.

12 **Soulignez le sujet du verbe. Puis entourez la forme correcte du participe passé.**

Ex. : Mademoiselle Lenoir, <u>vous</u> vous êtes *levé* / *levés* / (*levée*) tôt ?

1. Pendant les vacances, ma femme et moi, nous nous sommes bien *reposée* / *reposé* / *reposés*

et nous nous sommes *baigné* / *baignés* / *baignée* très souvent.

2. Les enfants se sont bien *amusée* / *amusés* / *amusé* au parc d'attractions.

3. Le week-end dernier, mes copines se sont *retrouvés* / *retrouvée* / *retrouvées* pour faire la fête.

4. Ma collègue Coralie s'est vraiment *ennuyée* / *ennuyé* / *ennuyées* à la conférence.

5. Hier soir, mon frère Charles s'est *couché* / *couchées* / *couchée* vers minuit.

6. Alors Juliette, tu t'es *promené* / *promenée* / *promenés* seule hier après-midi ?

7. Les filles, vous vous êtes *douché* / *douchée* / *douchées* ? Vous allez être en retard !

13 **Faites des phrases avec les éléments de la liste.**

s' • ~~tu t'~~ • nous nous • me • vous vous • se   sont • est • ~~es~~ • suis • sommes • êtes

parfumée. • rasé. • lavées ? • endormis. • ~~couchée tard.~~ • douchés.

Ex. : Julie, tu t'es couchée tard.

1. Elle ....

2. Mes amis .... tôt.

3. Sonia, Emma, ...

4. Je ....

5. Nous, les garçons, ...

14 **Transformez les emplois du temps au passé composé.**

1. Lina sort avec des copains. Elle se prépare pendant deux heures. D'abord, elle se douche. Ensuite, elle se maquille, puis elle s'habille et elle se coiffe.

Hier, Lina est sortie avec des copains. ....

....

....

....

2. Le matin, ma femme, les enfants et moi, nous nous réveillons vers 6 h 30. Je me lève tout de suite. Ma femme et les enfants se lèvent plus tard. Je me lave, je me rase et je m'habille. Ensuite, les enfants se douchent et se préparent. Nous nous retrouvons tous ensemble au petit-déjeuner.

Hier matin, ...

....

....

....

....

D **La forme négative**

Verbes simples	Verbes pronominaux
Je **n'ai pas** **réfléchi**. Il/Elle/On **n'a pas** **compris**. Ils/Elles **ne sont pas** **parti(e)s** tôt.	Je **ne me suis pas** **reposé(e)** longtemps. Nous **ne nous sommes pas** **trompé(e)s**. Vous **ne vous êtes pas** **couché(e)s** de bonne heure.

15 **Mettez dans l'ordre.**

Ex. : n' / pas / Charlotte / à l'exposition / venue / est / hier après-midi
Charlotte n'est pas venue à l'exposition hier après-midi.

1. ai / au tennis / Je / joué / dimanche dernier / n' / pas

....

2. à la piscine / Elle / est / n' / pas / retournée

....

3. baignées / ce matin / ne / Nous / sommes / pas / nous

....

4. êtes / ne / dans le parc / pas / promenés / Vous / vous ?

....

5. allés / au cinéma / Ils / ne / pas / hier soir / sont

....

6. Je / me / ne / pas / pendant les vacances / reposé / suis

....

16 **Transformez comme dans l'exemple.**

Généralement, Matthias part en vacances en février. Il prend le train, il va dans les Alpes. Il loue un appartement près des pistes de ski. Il fait du ski. Il se repose.

Cette année, Matthias n'est pas parti ....

....

....

....

17 **Conjuguez les verbes au passé composé à la forme négative.**

Ex. : Hum ! Tu sens bon, Anaïs !
– Ah bon ? Mais je ne me suis pas parfumée ! *(se parfumer)*

1. Vous avez l'air fatigué !
– Oui, nous .... *(se reposer)*

2. Tony a raté son avion ?
– Évidemment, il .... *(se réveiller)* à l'heure.

3. Claire, ma chérie, tu as sommeil ?
– J'ai fait la fête, je .... *(se coucher)*

4. Céline est pâle !
– C'est normal, elle .... *(se maquiller)*

5. Mon frère et moi, on n'a pas aimé Disneyland.
– Ah bon ? Vous .... *(s'amuser)* ?

6. Nora, vous arrivez à 10 heures ce matin !
– Désolée, je .... *(se lever)* assez tôt !

BILAN

1 🎧 (31) **Écoutez et indiquez si vous entendez l'auxiliaire *avoir* ou *être*.**

	1	2	3	4	5	6	7	8	9	10
avoir										
être										

2 **Monsieur Martin raconte son accident. Soulignez la forme correcte de l'auxiliaire.**

– Monsieur Martin, vous avez le bras dans le plâtre ! Vous *ai / avez / es* **(1)** eu un accident ?

Vous *êtes / avez / suis* **(2)** tombé ?

– Oui, j' *as / ai / es* **(3)** glissé dans l'escalier et je *suis / sont / ai* **(4)** tombé sur le bras.

– Alors, qu'est-ce que vous *êtes / ont / avez* **(5)** fait ?

– J' *avons / as / ai* **(6)** appelé les pompiers, ils *sommes / ont / sont* **(7)** arrivés très rapidement.

Ils m' *ont / est / a* **(8)** transporté à l'hôpital et finalement tout s' *a / est / es* **(9)** bien terminé.

– Ils *sont / ont / êtes* **(10)** été efficaces alors !

3 **Jérémy pose des questions à Céline. Complétez au passé composé.**

– Excusez-moi, madame, nous .... **(1)** *(ne pas se rencontrer)* avant ?

– Je ne crois pas.

– Mais, je .... **(2)** *(ne pas se présenter)* : Jérémy Lebrun.

– Et moi, Céline Cartier.

– Vous .... **(3)** *(ne pas aller)* à Hamamet, au Club Méditerranée,

en juillet dernier ?

– Ah, non, cette année, je .... **(4)** *(ne pas prendre)* de vacances,

je .... **(5)** *(rester)* tout l'été à Paris.

– C'est curieux, je connais votre visage. Où est-ce que nous .... **(6)**

(se voir) ? Vous .... **(7)** *(ne pas gagner)* au loto ? Vous ....

.... **(8)** *(ne pas jouer)* à Roland-Garros ? Vous .... **(9)**

(ne pas avoir) une médaille aux Jeux olympiques ?

– Non, non. Et vous, vous .... **(10)** *(ne pas allumer)* la télévision

hier soir ? Vous .... **(11)** *(ne pas regarder)* le journal ?

– Non, je .... **(12)** *(ne pas pouvoir)*, j'.. **(13)**

(travailler) tard. Après, je .... **(14)** *(rentrer)* et je ....

.... **(15)** *(se coucher)* tout de suite.

– C'est dommage, parce que vous savez, je présente la météo à la télévision !

BILAN

4 Cécilia, une touriste irlandaise, raconte son week-end à Nice. Conjuguez au passé composé.

De : cecilia49@email.fr
À : lulu@email.com
Objet : Mon week-end à Nice !

Salut Lucie,

Je suis en France en ce moment et je voyage beaucoup. Le week-end dernier,

.... *(aller)* à Nice. Samedi matin, ...

.... *(visiter)* la ville et .... *(déjeuner)*

dans un restaurant niçois. .... *(s'installer)*

sur la plage l'après-midi et .... *(se baigner)*.

Le soir, ... *(faire)* une belle promenade sur le port.

Dimanche matin, ... *(ne pas se lever)* tard,

.... *(ne pas faire)* la grasse matinée. ....

.... *(partir)* pour Monaco. .... *(visiter)* le palais.

.... *(acheter)* des cartes postales et ....

.... *(s'asseoir)* à la terrasse d'un café.

En fin d'après-midi, ... *(retourner)* à Nice en train

et .... *(reprendre)* l'avion pour Paris.

Week-end génial !

Bisous. Cécilia

5 Complétez cet article de journal au passé composé.

FAITS DIVERS ■ **Vol rue de la Roquette**

Le voleur .... *(sortir)* de chez lui à 7 heures. À 7 heures 20, il

.... *(arriver)* devant l'immeuble situé 70, rue de la Roquette. Il

.... *(garer)* sa voiture. La gardienne .... *(remarquer)*

cette voiture rouge. Il .... *(entrer)* dans le bâtiment, il ....

.... *(monter)* au 6ᵉ étage et il .... *(rester)* deux heures dans

l'appartement n° 64. La gardienne .... *(ne pas voir)* quand il ....

.... *(redescendre)*. La police .... *(interroger)*

les voisins et .... *(arrêter)* un suspect.

■ AD

130

Les homophones **16**

A Les homophones *a / à*

a		à
Verbe ***avoir*** au présent *Il a, elle a, on a / Il y a*	≠	**Préposition**
Sonia **a** un vélo. Il y **a** un garage là-bas.		Elle va **à** la gare **à** vélo. Le train arrive **à** 10 heures.

1 **Soulignez le mot correct.**

Ex. : Je dois aller *a / à* la poste.

1. On *a / à* beaucoup de réunions.

2. Vous avez rendez-vous *a / à* quelle heure ?

3. L'employé *a / à* votre paquet.

4. Votre bureau n'est pas *a / à* Marseille ?

5. Il faut demander *a / à* l'entrée.

6. Regardez *a / à* la fin du dossier.

7. Il n'y *a / à* pas beaucoup de monde.

8. Est-ce que Sandra *a / à* mon numéro ?

2 🎧 32 **Paul va retrouver son fils à l'aéroport. Écoutez et choisissez la forme correcte.**

Ex. : « Paul a une voiture. »

	Ex.	1	2	3	4	5	6	7	8	9	10
a	✔										
à											

3 **Complétez la présentation d'Antoine avec *a* ou *à*.**

Antoine a sa famille en France, _____ **(1)** Lyon, mais il habite _____ **(2)** Londres. Il est parti

en Angleterre il y _____ **(3)** 18 ans. Il _____ **(4)** maintenant 35 ans. Il travaille _____ **(5)**

la City. Il n'est pas marié, mais il _____ **(6)** une amie écossaise. Il n'_____ **(7)** pas d'enfants.

Il _____ **(8)** plusieurs amis et collègues internationaux. Pour son travail, il va souvent _____ **(9)**

Bruxelles, mais il vient aussi _____ **(10)** Lyon pour voir sa famille.

B Les homophones *est / et*

est		et
Verbe *être* au présent *Il est, elle est, on est / C'est*	≠	**Conjonction de coordination** Pour relier deux mots ou deux phrases
C'**est** Akiko, elle **est** professeur.		Elle parle français **et** anglais. Elle explique bien **et** elle parle lentement.

4 **Entourez le mot correct.**

Ex. : Charles *est /* et Marc travaillent ensemble.

1. Marc *est / et* l'assistant de Charles.

2. Blandine n' *est / et* pas artiste.

3. Elle *est / et* architecte.

4. On fera deux réunions : mardi *est / et* jeudi.

5. Notre entreprise exporte au Canada *est / et* en Finlande.

6. Le bureau principal *est / et* à Lille.

7. On prend le métro *est / et* le bus.

8. C' *est / et* important de travailler ensemble.

5 🎧 33 **Écoutez ces phrases prononcées au restaurant. Choisissez la forme correcte.**

Ex. : « Une omelette et une salade, s'il vous plaît. »

	Ex.	1	2	3	4	5	6	7	8	9	10
est											
et	✔										

6 **Complétez avec *est* ou *et*.**

Ex : Sandrine n'est pas contente.

1. Luc, son collègue, _____ en retard très souvent.

2. Il n'_____ jamais au bureau avant 10 heures.

3. Il ne dit pas bonjour _____ ne s'excuse jamais.

4. Il n'_____ pas agréable avec ses collègues.

5. _____ il ne travaille pas beaucoup.

6. Le soir, il _____ le premier à quitter le travail.

7. Sandrine, elle, _____ au bureau à 8 h 30.

8. Elle prend un café _____ commence à travailler.

C Les homophones *ont / on*

ont		on
Verbe *avoir* au présent *Ils ont, Elles ont*	≠	Pronom personnel sujet *On = Nous*
Mes voisins **ont** un chien.		**On** est amis.

7 Soulignez le mot correct.

Ex. : Il fait beau, *ont / on* va se promener ?

1. Les jeunes *ont / on* eu envie de sortir.

2. En été, *ont / on* dîne dans le jardin.

3. Aujourd'hui, *ont / on* a un soleil magnifique.

4. C'est bizarre, *ont / on* n'a pas de nouvelles.

5. Les enfants *ont / on* un vélo.

6. Ils n' *ont / on* pas de copains dans le quartier.

7. Ici, *ont / on* n'a pas besoin de voiture.

8. Pourquoi *ont / on* ne va pas au parc ?

8 🎧 34 Des personnes parlent de leurs amis. Écoutez et choisissez la forme correcte.

Ex : « Nos amis italiens ont une maison sur la Côte d'Azur. »

	Ex.	1	2	3	4	5	6	7	8	9	10
ont	✔										
on											

9 Elahe présente l'agence où elle travaille. Complétez avec *ont* ou *on*.

Dans l'agence de tourisme où je travaille, on est cinq employés. Le directeur et sa femme

_____ **(1)** créé l'agence il y a 10 ans. Ils _____ **(2)** voulu développer un tourisme

différent. _____ **(3)** propose des voyages en Europe et en Afrique. En hiver, nos clients

_____ **(4)** une préférence pour l'Afrique, mais _____ **(5)** leur conseille aussi des

week-ends près de chez eux. L'année dernière, _____ **(6)** a offert un week-end à Athènes

et beaucoup de clients _____ **(7)** adoré. _____ **(8)** a aussi un séjour à Rome pour

des lycéens qui _____ **(9)** étudié le latin.

D Les homophones *sont / son*

sont		son
Verbe *être* au présent *Ils sont, Elles sont, Ce sont*	≠	**Adjectif possessif**
Tous nos amis **sont** arrivés.		Le frère **de Pierre** est pilote. = **Son** frère est pilote. L'épouse **de Pierre** s'appelle Moïra. = **Son** épouse s'appelle Moïra.

10 Entourez le mot correct.

Ex. : Les étudiants ⟨sont⟩/ son dans la salle ?

1. Ils ne *sont / son* pas avec vous ?

2. Le professeur est dans *sont / son* bureau.

3. Il attend *sont / son* groupe d'élèves.

4. Il prépare *sont / son* examen.

5. Ce *sont / son* des questions faciles.

6. Les étudiants *sont / son* sérieux.

7. Ils *sont / son* contents.

8. Pauline et sa sœur *sont / son* drôles.

11 Complétez avec *sont* ou *son*.

Ex. : Vous connaissez M. Legendre ? Son travail est intéressant !

1. .... entreprise est connue.

2. Voici les contrats, mais ils ne .... pas signés.

3. Ils .... bien écrits.

4. M. Legendre et ses collègues .... en réunion.

5. Ils .... avec le directeur.

6. .... emploi du temps est complet.

7. Il est rarement dans .... bureau.

8. Souvent, ... secrétariat l'appelle.

12 Complétez avec *sont* ou *son*.

Paula et John sont mes amis canadiens. Paula a deux fils. .... **(1)** fils Adam et

.... **(2)** frère Ken s'entendent très bien. Ils .... **(3)** très gentils tous les deux.

Ils .... **(4)** ensemble dans un petit groupe de théâtre avec ma copine Aude. Tu sais,

.... **(5)** mari, Ali, est clown. Et .... **(6)** projet est de monter un spectacle

pour le jouer à l'hôpital pour des enfants qui .... **(7)** très malades. Avec John,

ils .... **(8)** d'accord pour jouer ensemble.

E Les homophones *se / ce*

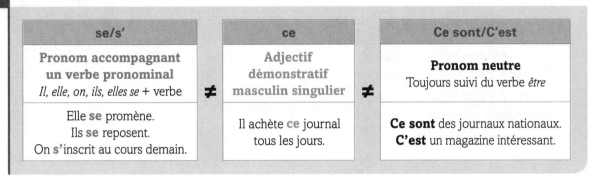

se/s'		ce		Ce sont/C'est
Pronom accompagnant un verbe pronominal *Il, elle, on, ils, elles se* + verbe	≠	**Adjectif démonstratif masculin singulier**	≠	**Pronom neutre** Toujours suivi du verbe *être*
Elle **se** promène. Ils **se** reposent. On **s'**inscrit au cours demain.		Il achète **ce** journal tous les jours.		**Ce sont** des journaux nationaux. **C'est** un magazine intéressant.

13 **Soulignez le mot correct.**

Ex. : Mon collègue *se* / *ce* prépare.

1. Il travaille avec *se* / *ce* stagiaire.

2. On *se* / *ce* retrouve samedi.

3. *Se* / *Ce* soir, je ne suis pas libre.

4. On ne connaît pas *se* / *ce* logiciel.

5. Il faut *se* / *ce* renseigner.

6. *S'est* / *C'est* important.

7. *Se* / *Ce* sont de nouveaux programmes.

8. On *se* / *ce* souvient bien.

14 🎧 35 **Écoutez et choisissez la forme correcte.**

Ex. : « Voici Diego et Rosa, ce sont mes voisins espagnols. »

	Ex.	1	2	3	4	5	6	7	8	9	10
se											
s'											
ce	✔										
c'											

15 **Complétez avec *se, s', ce* ou *c'*.**

Hello, c'est un spectacle étrange. Les acteurs ne sont pas connus. _____ **(1)** sont des jeunes, avec des vêtements très colorés. Ils _____ **(2)** présentent au public, puis ils _____ **(3)** regardent et ils _____ **(4)** arrêtent de parler. _____ **(5)** est drôle et bizarre, _____ **(6)** silence ! Le public _____ **(7)** interroge : qu'est- _____ **(8)** qui _____ **(9)** passe ? Puis les jeunes chantent, dansent, et _____ **(10)** est un festival de couleurs.

F Les homophones *ou / où*

ou		où
Conjonction de coordination Pour relier deux mots ou deux phrases	**≠**	**Adverbe interrogatif**
Elle s'appelle Lydia **ou** Linda ? Elle travaille **ou** elle est à la retraite ?		Elle habite **où** ?

16 **Soulignez le mot correct.**

Ex. : Vous partez *ou* / *où* ?

1. Vous venez en avion *ou* / *où* en train ?

2. C'est en Espagne *ou* / *où* au Portugal ?

3. *Ou* / *Où* est-ce qu'ils s'installent ?

4. On réserve *ou* / *où* ? Sur Internet ?

5. Vous prenez une *ou* / *où* deux semaines ?

6. Ils cherchent un hôtel *ou* / *où* un camping ?

7. Je ne sais pas *ou* / *où* on se retrouve.

8. Tu comprends *ou* / *où* tu ne comprends pas ?

17 🎧 *36* **Écoutez ces phrases prononcées dans une entreprise et choisissez la forme correcte.**

Ex. : « Où est la réunion ? »

	Ex.	1	2	3	4	5	6	7	8	9	10
ou											
où	✔										

18 **Complétez le dialogue avec *ou* ou *où*.**

– Où est-ce que tu vas cet après-midi ?

– Au cinéma .... **(1)** au stade, je ne sais pas. Pourquoi ?

– Pour savoir .... **(2)** on se retrouve ce soir. Tu préfères dîner au restaurant .... **(3)**

à la maison ? .... **(4)** écouter le concert de Triol ?

– Triol ? En concert ? C'est super ! Et c'est .... **(5)** ?

– J'ai oublié, au Trianon .... **(6)** aux Lombards, je ne sais plus, je vais regarder.

– Tu me téléphones et on décide .... **(7)** on va, d'accord ?

BILAN

1 **Détachez les mots pour retrouver la phrase. Mettez les accents.**

1. Quandonarrivealamontagneilyadelaneige.

   ....

2. Lesamisvontskieretmoijevaismarcherouresteralhôtel.

   ....

3. Onseretrouveetonaimedînerensemble.

   ....

4. C'estunestationinternationaleetanimée.

   ....

5. Ilsontunappartementouunchalet.

   ....

6. Cesontdesvacancesidéalespoursereposer.

   ....

2 🎧 37 **Écoutez et complétez.**

Le film *À vous !* connaît un grand succès en France ....

l'étranger : c'..................................... normal. Il présente notre société .... il parle

de ses problèmes. Les photos de notre planète .... belles

.... dramatiques. On .... choqué : il y ....

de la pollution partout ! Notre planète .... vraiment en danger,

c'..................................... certain. Vous devez voir .... film .... il faut

le montrer aux jeunes : c'..................................... un film très important !

3 **Soulignez le mot correct dans la description de M. Zarbi.**

Léon Zarbi habite dans mon immeuble. *C'est / Ses* **(1)** un homme étrange. Il *est / et* **(2)** très grand,

il *à / a* **(3)** toujours des lunettes noires. Il n'enlève jamais *son / sont* **(4)** grand chapeau. *On / Ont* **(5)**

le voit avec *son / sont* **(6)** chien dans les escaliers. Il *se / ce* **(7)** dépêche toujours, *s' / c'est* **(8)** un

homme pressé, je me demande toujours *ou / où* **(9)** il court comme ça ! En plus, il *s' / c'est* **(10)**

trompé deux fois d'appartement, il *a / à* **(11)** essayé de rentrer chez moi ! Il *s' / c'est* **(12)** excusé

bien sûr ! Dans notre immeuble tout le monde *se / ce* **(13)** connaît, tout le monde *c' / s'* **(14)**

apprécie. Les voisins *ont / on* **(15)** l'habitude de *ce / se* **(16)** saluer mais avec *ce / se* **(17)** M. Zarbi,

s' / c'est **(18)** différent !

1 Être et avoir au présent de l'indicatif

A Le verbe être et les pronoms sujets

1 1. Il est 2. Elles sont 3. Nous sommes 4. Tu es 5. Elle est 6. Vous êtes 7. Ils sont 8. On est

2 1. f 2. d 3. b 4. c 5. e 6. a

3 *Vous* collectif : 2, 5, 7
Vous de politesse : 1, 3, 4, 6

4 (02) **Ex. :** Ils sont grecs.

1. Elle est turque.
2. Elles sont espagnoles.
3. Ils sont croates.
4. Il est belge.
5. Elle est bulgare.
6. Ils sont tchèques.
7. Elles sont russes.
8. Elle est suisse.
9. Il est guatémaltèque.
10. Ils sont libanais.

Il est : 4, 9	Elle est : 1, 5, 8
Ils sont : 3, 6, 10	Elles sont : 2, 7

5 1. Vous 2. Tu 3. Ils 4. Il 5. Nous 6. Je 7. On 8. On

6 1. est 2. es 3. est 4. sont 5. êtes 6. est 7. sommes 8. sont

B Le verbe avoir

7 1. Vous 2. J' 3. Nous 4. ils 5. elle 6. il

8 1. Corentin a 2. Tu as 3. Ils ont 4. Vous avez 5. J'ai 6. Yasmine a 7. Léo et Marc ont 8. On a

9 (03) **Ex. :** Ils ont 20 ans.

1. Elles ont 32 ans.
2. Elle a 47 ans.
3. Ils ont 70 ans.
4. Elles ont 92 ans.
5. Il a 21 ans.
6. Ils ont 59 ans.
7. Elles ont 12 ans.
8. Il a 18 ans.
9. Elle a 79 ans.
10. Il a 43 ans.

Il a : 5, 8, 10	Elle a : 2, 9
Ils ont : 3, 6	Elles ont : 1, 4, 7

10 1. Tu as trois sœurs. 2. Vous avez une tante. 3. Elle a des cousins. 4. On a un neveu. 5. Ils ont quatre nièces. 6. J'ai deux oncles.

BILAN

1 être : 1, 2, 4, 7, 9
avoir : 3, 5, 6, 8, 10

2 1. est 2. sont 3. a 4. ont 5. a 6. est 7. est 8. ont 9. ont 10. sont 11. sont 12. sont 13. a 14. sont 15. sont 16. ont 17. a 18. est 19. est 20. a

3 1. d 2. g 3. h 4. a 5. i 6. e 7. b 8. c 9. f

4 (04) 1. Elles ont 41 ans. 5. Ils sont mariés.
2. Ils sont vietnamiens. 6. Ils ont 62 ans.
3. Ils ont 70 ans. 7. Elles ont 11 ans.
4. Elles ont 92 ans. 8. Elles sont journalistes.

9. Elles ont 90 ans. 11. Ils sont malgaches.
10. Ils ont trois frères. 12. Elles sont croates.

Ils ont : 3, 6, 10	Elles ont : 1, 4, 7, 9
Ils sont : 2, 5, 11	Elles sont : 8, 12

5 Je suis pharmacienne. J'ai 38 ans. Je suis suisse. Je suis célibataire.
Nous sommes mariés. Nous avons deux enfants. Nous sommes portugais.
Nous sommes jeunes. Nous sommes pacsés. Nous avons une voiture.
Je suis programmeur. J'ai 43 ans. Je suis camerounais. Je suis divorcé.

6 Kyle – Bonjour Marlène ! Je suis étudiant. Je suis canadien. J'ai 23 ans.
Vous avez un grand appartement ? Vous avez une chambre pour moi à Strasbourg ?
Marlène – Salut, Kyle ! Je suis mariée avec Gustav. Nous sommes deux et nous avons une chambre pour toi. Je suis musicienne. Mon mari est chanteur. Tu as un instrument de musique ?
Kyle – Oui, nous sommes une famille de musiciens. J'ai une guitare.

2 Le présent de l'indicatif

A Les verbes en -ER

1 1. Vous parlez. 2. Tu regardes. 3. Elles écoutent. 4. Je téléphone. 5. Ils discutent. 6. On marche. 7. Nous travaillons. 8. Vous photographiez. 9. Elles dansent. 10. Elles étudient.

2 1. Nous arrivons 2. Ils cherchent 3. Vous demandez 4. On réserve 5. Les guides accompagnent 6. Elle explique 7. Nous regardons 8. Vous marchez

3 (05) **Ex. :** « Ils expliquent »

1. Vous cherchez.
2. On arrive.
3. Elles accompagnent.
4. Elles écoutent.
5. Nous parlons.
6. Il regarde.
7. Nous aimons.
8. Vous étudiez.
9. On téléphone.
10. Ils habitent.
11. Vous adorez.
12. On explique.

4 1. je travaille 2. je déjeune 3. j'étudie 4. je rentre 5. On dîne 6. nous discutons 7. on regarde

5 1. Je joue 2. je chante 3. Je cherche 4. J'adore 5. j'aime 6. J'habite

6 a. 1. Nous commençons 2. tu commences 3. je commence 4. je remplace 5. Tu remplaces
b. 6. vous mangez 7. les Anglais mangent 8. nous mangeons 9. tu voyages 10. tu changes 11. je mange
c. 12. nous vous annonçons 13. Vous la partagez

7 a. 1. vous appelez 2. on appelle 3. nous appelons

b. 4. vous achetez **5.** Nous achetons **6.** tu achètes **7.** ils achètent

c. 8. Vous préférez **9.** nous préférons **10.** tu préfères **11.** je préfère **12.** mes amis préfèrent **13.** J'espère

8 🎧06 **Ex. :** appelez / appelons / <u>appelle</u>
1. complète / <u>compléter</u> / complètes
2. <u>préférons</u> / préfèrent / préfères
3. <u>rappelle</u> / <u>rappeler</u> / rappellent
4. acheter / achetons / <u>achète</u>
5. espère / espères / <u>espérons</u>
6. <u>promène</u> / promenez / promenons
7. répètes / <u>répétons</u> / répètent
8. jette / jettent / <u>jeter</u>
9. levons / <u>lève</u> / levez
10. épeler / <u>épelles</u> / épelons

9 a. 1. Je paye/paie **2.** nous payons **3.** Qui paye/paie
b. 4. Vous envoyez **5.** j'envoie **6.** Mes amis envoient

10 1. nous allons **2.** Tu vas **3.** mes amis vont **4.** Vous allez **5.** vous allez **6.** je vais **7.** il va

11 1. vous allez **2.** Il va **3.** Je vais **4.** Tu vas **5.** nous allons **6.** elles vont **7.** Vous allez **8.** Ils vont

B Les verbes en -IR

12 1. Nous réussissons **2.** Je choisis **3.** On réfléchit **4.** Vous rougissez **5.** Tu réfléchis **6.** Ils remplissent **7.** Elle finit **8.** Elles choisissent

13 1. on sort **2.** Vous partez **3.** On part **4.** je ne dors pas **5.** Mes sœurs dorment **6.** Vous servez **7.** Nous servons **8.** ça sent **9.** vous sentez

14 1. nous venons **2.** elles viennent **3.** vous venez **4.** tu viens **5.** je ne viens pas **6.** Hélène vient **7.** Jeanne vient **8.** Mathilde ne vient pas

C Les verbes en -RE et en -OIR

15 1. Nous faisons **2.** Ils font **3.** Vous faites **4.** Elles font **5.** On fait **6.** Tu fais **7.** Vous faites **8.** Je fais **9.** Louis et Jeanne font **10.** Vous faites

16 1. on fait **2.** nous faisons **3.** Vous faites **4.** je fais **5.** il fait **6.** Vous faites **7.** Olivier et ses copains font **8.** On fait

17 1. Nous **2.** On **3.** Ils **4.** Elle **5.** Vous **6.** Elles **7.** Vous **8.** Nous **9.** Je

18 1. Tu écris **2.** vous dites **3.** Je lis. **4.** Ils lisent **5.** Vous écrivez **6.** On écrit **7.** vous lisez **8.** tu dis

19 1. je mets **2.** On met **3.** Elles mettent **4.** Il met **5.** Nous mettons **6.** Tu mets

20 1. Nous mettons **2.** On met **3.** Ils mettent **4.** Vous mettez **5.** Tu mets **6.** Elles mettent

21 1. j'apprends **2.** nous prenons **3.** vous comprenez **4.** Mes collègues prennent **5.** Loïc ne comprend pas **6.** Luc et Louise comprennent

22 1. *Tu attends* – j'attends **2.** Ils répondent – vous répondez **3.** Tu entends – j'entends. **4.** Vous descendez – je descends **5.** Lucas attend – Tu descends **6.** Nous descendons **7.** Elle ne répondent pas **8.** Elles répondent

23 1. *Vous connaissez* – vous ne savez pas **2.** Je sais – je ne connais pas **3.** Ils connaissent – ils ne savent pas **4.** Nous savons – nous ne connaissons pas **5.** On ne connaît pas – on sait **6.** Tu sais – tu ne connais pas **7.** Vous connaissez – vous ne savez pas **8.** Elles connaissent – elles ne savent pas

24 🎧07 **Ex. :** « Elle ne **peut** pas répondre. »
1. Il **veut** comprendre.
2. Ma fille **veut** faire du volley-ball.
3. Moi, je **veux** faire de la natation.
4. Et toi, tu **veux** faire quoi ?
5. Tu **peux** m'aider ?
6. Je **peux** essayer ce pantalon ?
7. On **peut** arriver tôt.
8. Tu **peux** venir demain soir ?
9. Qu'est-ce qu'il **veut** ?
10. Je **veux** bien, merci.

25 1. Ils *veulent* – ils doivent **2.** Tu dois – je peux **3.** Tu veux – je dois **4.** Vous devez – on peut **5.** Ils doivent – ils veulent **6.** Vous voulez – nous devons

26 1. *b*, f **2.** d, g **3.** i, l **4.** c, e, j **5.** a, h, k

27 1. Tu veux danser ? **2.** Nous voulons voyager. **3.** Ils peuvent venir avec nous. **4.** On peut écouter du jazz ici. **5.** Elle veut dîner au restaurant. **6.** Vous pouvez réserver les places ? **7.** Vous devez revenir avant minuit.

28 1. *je dois* – Tu veux **2.** Ils peuvent – ils doivent **3.** Tu peux – je ne sais pas **4.** Ils veulent – je veux **5.** On doit – Vous pouvez

D Les verbes pronominaux

29 1. Il se prépare vite. **2.** Nous nous levons à 6 heures. **3.** Ils s'habillent rapidement. **4.** Ils se douchent le soir. **5.** Vous vous couchez très tôt. **6.** On se promène dans le parc. **7.** Vous vous reposez dans le jardin.

30 1. *b* Vous vous promenez souvent ici ? **2.** d Je me dépêche… Je dois partir. **3.** f On se prépare vite. On a un rendez-vous. **4.** g Tu te réveilles tôt. **5.** c Les enfants s'amusent avec le ballon. **6.** a Nous nous reposons un peu. **7.** e Vous vous levez à quelle heure ?

31 1. Vous vous habillez. **2.** Je me prépare. **3.** Tu te promènes. **4.** On s'amuse. **5.** Nous nous couchons. **6.** Ils se lèvent. **7.** Vous vous intéressez au cinéma. **8.** Elle se lave vite.

32 1. Tu te couches **2.** Vous vous levez **3.** je me douche **4.** Elle s'habille **5.** ils s'amusent **6.** vous vous dépêchez **7.** les élèves s'appellent

BILAN

❶ **1.** sais – savoir **2.** doivent – devoir **3.** préfère – préférer **4.** apprennent – apprendre **5.** envoie – envoyer **6.** entends – entendre **7.** peut – pouvoir **8.** appellent – appeler **9.** sortent – sortir **10.** achètent – acheter **11.** finissez – finir **12.** dites – dire **13.** connaissent – connaître **14.** mets – mettre

❷ **1.** Vous voulez un thé ? **2.** Comment tu t'appelles ? **3.** Vous travaillez ? **4.** Tu connais la France ? **5.** Tu te lèves à quelle heure ? **6.** Vous devez partir ? **7.** Tu attends un peu ? **8.** Vous dites oui ou non ? **9.** Vous pouvez venir demain ? **10.** Vous vous promenez avec moi ?

❸ **1.** nous allons **2.** Vous faites **3.** nous louons **4.** nous partons **5.** On met **6.** Vous connaissez **7.** des amis viennent **8.** ils font **9.** ils se promènent **10.** je lis **11.** j'écris **12.** Nous attendons

❹ **1.** nous faisons **2.** On aime **3.** Nous voulons **4.** Nous partageons **5.** On joue **6.** Nous commençons – nous finissons **7.** On apprend **8.** Elle s'intéresse

❺ Bonjour,
Je m'appelle Hugo Moretti. Je parle italien, allemand et anglais. J'étudie le français à l'école. J'habite à Berne. Mes parents habitent à Lugano. À l'école, je fais du sport, de l'athlétisme. J'aime aussi la musique, j'écoute du rock et de la musique pop. J'ai un grand frère : il finit ses études au Canada. Il veut être avocat. J'attends vos méls. Je promets de répondre à tous.
À bientôt !
Hugo

CHAPITRE

3 Les formes impersonnelles avec *il* – Le présentatif *c'est*

A Les formes impersonnelles avec *il*

1 **1.** Il y a six gares. **2.** Il y a des parcs. **3.** Il y a un fleuve. **4.** Il y a trois montagnes. **5.** Il y a beaucoup de musées. **6.** Il y a la tour Eiffel.

2 🎧 08 **Ex. :** Il fait chaud.

1. Il fait soleil.	**6.** Il fait beau.
2. Il fait du judo.	**7.** Il fait de la boxe.
3. Il fait des exercices.	**8.** Il fait de la natation.
4. Il fait froid.	**9.** Il fait du théâtre.
5. Il fait mauvais.	**10.** Il fait du cinéma.

Il : une personne : 2, 3, 7, 8, 9, 10
Il : forme impersonnelle : 1, 4, 5, 6

3 **1.** *a*, c **2.** d, e, f, h, j **3.** b, g, i

4 **1.** Il faut de l'argent. **2.** Il ne faut pas avoir peur. **3.** Il faut être curieux. **4.** Il faut connaître une langue étrangère. **5.** Il ne faut pas oublier les papiers d'identité. **6.** Il faut des vêtements pratiques.

5 **1.** Il faut se calmer ! **2.** Il faut attendre au feu rouge ! **3.** Il faut traverser au feu vert ! **4.** Il faut marcher doucement ! **5.** Il faut faire attention aux voitures ! **6.** Il faut attendre les autres enfants !

B *C'est, ce sont* ou *il est, ils sont ?*

6 **1.** C'est **2.** C'est **3.** Ce sont **4.** C'est **5.** Ce sont **6.** C'est **7.** C'est **8.** Ce sont

7 **1.** C'est cher. **2.** C'est haut. **3.** C'est grand. **4.** C'est pratique. **5.** C'est dangereux.

8 **1.** Ce sont **2.** Ce sont **3.** Ils sont **4.** Ce sont **5.** Ce sont **6.** Ils sont **7.** Ils sont **8.** Ce sont

9 **1.** *a*, c, g, h **2.** b, d, e, f

10 **1.** Ils sont comédiens. Ce sont des comédiens célèbres. **2.** Il est cuisinier. C'est un cuisinier italien. **3.** Ils sont étudiants. Ce sont des étudiants irlandais. **4.** Il est poète. C'est un poète français. **5.** Il est écrivain. C'est un écrivain marocain. **6.** Elles sont assistantes. Ce sont des assistantes compétentes. **7.** Il est chauffeur de taxi. C'est un chauffeur de taxi formidable.

11 **1.** Il est **2.** c'est **3.** c'est **4.** Il est **5.** C'est **6.** c'est **7.** Elle est **8.** C'est **9.** c'est

BILAN

❶ Formes personnelles : 1, 4, 6, 10, 12
Formes impersonnelles : 2, 3, 5, 7, 8, 9, 11

❷ **1.** e **2.** a, d, i **3.** b, c, g, j **4.** b, g **5.** f **6.** h

❸ Formes impersonnelles : 5, 6, 7, 8, 13, 16, 21, 22, 25, 26, 27.

❹ **1.** Il est – il faut **2.** Il y a – il fait **3.** Il faut – il est **4.** il y a **5.** il y a – il fait **6.** il est **7.** Il faut **8.** il ne faut pas

❺ La randonnée en montagne, c'est une activité formidable. L'été, il fait souvent beau et il ne fait pas trop chaud : c'est agréable. Il faut des chaussures de sport confortables. En général, il ne faut pas courir parce que c'est dangereux. Il y a des chemins difficiles, il faut faire attention. Pour moi, ce sont des moments magnifiques !

CHAPITRE

4 L'interrogation

A Question intonative et question avec *Est-ce que… ?*

1 **1.** Est-ce qu' **2.** Est-ce qu' **3.** Est-ce que **4.** Est-ce que **5.** Est-ce qu' **6.** Est-ce que

2 🎧 09 **Ex. :** Yoko est japonaise.
1. Vous écoutez de la musique ?
2. Tu travailles dans une agence de voyages ?
3. Ils jouent de la guitare.
4. Elles vont au cinéma ?
5. Vous lisez un roman.
6. Claire regarde la télévision.
7. Nous allons au théâtre.
8. Vous faites du sport ?
9. Elle achète un magazine ?
10. On aime le rock.

Question : 1, 2, 4, 8, 9
Affirmation : 3, 5, 6, 7, 10

3 **1.** Est-ce qu'elle va à la piscine ? **2.** Est-ce que tu prends des photos ? **3.** Est-ce que vous chantez ? **4.** Est-ce qu'ils visitent des expositions ? **5.** Est-ce que vous allez souvent à l'opéra ? **6.** Est-ce que tu prends des cours de dessin ?

4 **1.** Est-ce qu'il travaille le dimanche ? **2.** Est-ce que vous allez à la boulangerie ? **3.** Est-ce que tu fais la cuisine ? **4.** Est-ce qu'elles achètent sur Internet ? **5.** Est-ce qu'ils rentrent tard ? **6.** Est-ce que vous téléphonez beaucoup ?

B Les mots interrogatifs

5 **1.** Qu'est-ce qu'elle écoute ? **2.** Qu'est-ce que vous regardez ? **3.** Qu'est-ce qu'il prend ? **4.** Qu'est-ce que Marion apporte ? **5.** Qu'est-ce qu'on fait ? **6.** Qu'est-ce que les enfants préparent ? **7.** Qu'est-ce qu'ils photographient ?

6 **1.** *b*, e, f **2.** a, c, d, g, h

7 **1.** Elle veut quoi ? **2.** Nous regardons quoi ? **3.** Il va au magasin avec qui ? **4.** Elle choisit pour qui ? **5.** Vous achetez quoi ? **6.** Il demande à qui ? **7.** On commande quoi sur Internet ?

8 **1.** qu' **2.** quoi **3.** quoi **4.** Qu' **5.** Qui **6.** Qui

9 **1.** Quand ? **2.** Pourquoi ? **3.** Combien ? **4.** Quand ? **5.** Comment ? **6.** Où ?

10 **1.** Où **2.** Quand **3.** Pourquoi **4.** Combien de **5.** Quand **6.** Où **7.** combien

C Demander une précision

11 **1.** Tu choisis quoi comme parfum ? **2.** Qu'est-ce qu'il lit comme roman ? **3.** Vous écoutez quoi comme radio ? **4.** Tu aimes quoi comme musique ? **5.** Qu'est-ce qu'elles préfèrent comme bijoux ? **6.** Qu'est-ce qu'il a comme voiture ? **7.** Ils regardent quoi comme séries ?

12 🎧 10 **Ex. :** Qu'est-ce que tu aimes comme voiture ?
1. Il regarde quoi comme émission ?
2. Qu'est-ce que vous écoutez comme musique ?

3. Qu'est-ce qu'elle aime comme vêtements ?
4. Vous lisez quoi comme magazines ?
5. Qu'est-ce que vous voulez comme renseignements ?
6. Qu'est-ce qu'elle fait comme sport ?
7. Il fait quoi comme travail ?
8. Vous avez quoi comme voiture ?
9. Qu'est-ce qu'on passe comme film ?
10. Tu préfères quoi comme dessert ?

Langue courante : 2, 3, 5, 6, 9
Langue familière : 1, 4, 7, 8, 10

13 **1.** Quel dictionnaire ? **2.** Quels livres ? **3.** Quelles lunettes ? **4.** Quelle photo ? **5.** Quel cahier ? **6.** Quels classeurs ? **7.** Quelle tablette ? **8.** Quelles pages ?

14 **1.** Quels **2.** Quel **3.** quel **4.** Quelle **5.** quels **6.** quelle **7.** quelles **8.** quel

15 **1.** quelles boucles d'oreilles – quel collier **2.** quels bracelets – quelles bagues **3.** quelle ceinture – quel pantalon **4.** quelles chaussettes – quelles chaussures **5.** quels gants – quelle écharpe **6.** quelle veste – quelle cravate **7.** quels pulls – quels manteaux **8.** quelle robe – quelle chemise **9.** quelles lunettes – quel chapeau **10.** quelle jupe – quelles baskets

16 **1.** Quelle est la meilleure boulangerie ? **2.** Dans quel parc vous vous promenez ? **3.** Quels musées vous préférez ? **4.** Quelles promenades vous faites souvent ? **5.** Vous conseillez quels restaurants ? **6.** Quels monuments vous aimez visiter ? **7.** Dans quelle boutique vous achetez des vêtements ? **8.** Quel café vous fréquentez beaucoup ?

BILAN

❶ **1.** d **2.** f **3.** a **4.** i **5.** h **6.** e **7.** b **8.** j **9.** c **10.** g

❷ **1.** Pourquoi est-ce que Carole lit un journal anglais ? **2.** Comment est-ce que Julien va au lycée ? **3.** Quand est-ce que Brigitte rentre à la maison ? **4.** Où est-ce qu'Antoine joue au tennis ? **5.** Combien de personnes est-ce qu'il y a dans la salle ? **6.** Quand est-ce que Julie part en vacances ? **7.** Pourquoi est-ce qu'Hugo apprend le russe ? **8.** À qui est-ce que Nora téléphone souvent ? **9.** Combien est-ce que ça coûte ?

❸ **1.** Quand est-ce que Léo arrive ? **2.** Comment est-ce qu'il va au bureau ? **3.** Quand est-ce qu'il termine son travail ? **4.** Comment est-ce qu'elle s'appelle ? **5.** Quand est-ce qu'elle va au cinéma ? **6.** Avec qui est-ce qu'elle vit ? **7.** Combien est-ce qu'ils ont d'enfants ?/Combien d'enfants est-ce qu'ils ont ? **8.** Où est-ce qu'ils habitent ?

❹ – Bonjour Lucas, J'ai mon billet de train. J'arrive samedi prochain.
– Est-ce que tu viens avec Corine ?
– Non, Corine ne peut pas. Je viens avec John.
– Qui est John ?

– C'est un copain irlandais. Il fait un stage en France. Il peut loger chez toi ?
– Pas de problème. **Le train arrive à quelle heure ?**
– À 10 h 37. **Tu peux venir à la gare ?**
– Oui, je peux venir. À samedi !

5 **1.** Comment vous vous appelez ? **2.** Quel est votre âge ? **3.** Vous habitez où ? **4.** Qu'est-ce que vous faites à Paris ? **5.** Quelle profession vous voulez faire ? **6.** Pourquoi vous voulez faire du baby-sitting ? **7.** Est-ce que vous avez l'habitude des enfants ? **8.** Vous aimez faire quoi avec eux ? **9.** Vous êtes libre quand ? **10.** Quels jours ?

CHAPITRE

5 La négation

A La négation *ne (n')* ... *pas*

1 **1.** Non, elle n'est pas jeune. **2.** Non, elle n'est pas sportive. **3.** Non, elle n'est pas étudiante. **4.** Non, elle n'est pas blonde. **5.** Non, elle n'est pas française. **6.** Non, elle n'est pas européenne.

2 **1.** Je ne suis pas patiente. **2.** Elle n'est pas amusante. **3.** Ils ne sont pas sympathiques. **4.** Vous n'êtes pas contents. **5.** Elle n'est pas généreuse. **6.** Ils ne sont pas intelligents. **7.** Nous ne sommes pas heureux.

3 **1.** Ce n'est pas amusant. **2.** Ce n'est pas rapide. **3.** Ce n'est pas poli. **4.** Ce n'est pas cher. **5.** Ce n'est pas original.

4 **1.** *Non, ce n'est pas excellent.* – Non, ce n'est pas nul. **2.** Non, ce n'est pas rouge. – Non, ce n'est pas vert. **3.** Non, ce n'est pas carré. – Non, ce n'est pas rectangulaire. **4.** Non, ce n'est pas tiède. – Non, ce n'est pas froid. **5.** Non, ce ne sont pas des magazines. – Non, ce ne sont pas des journaux. **6.** Non, ce ne sont pas des bols. – Non, ce ne sont pas des verres.

5 **1.** n' **2.** ne **3.** ne **4.** n' **5.** ne **6.** n' **7.** n'

6 **1.** je n'ai pas le numéro de téléphone. **2.** je n'ai pas l'adresse exacte. **3.** je n'ai pas le nom de la rue. **4.** je n'ai pas le plan de la ville. **5.** je n'ai pas le code de la porte. **6.** je n'ai pas le gâteau.

7 **1.** Elle n'accepte pas les interviews. **2.** Elle ne passe pas à la télé. **3.** Elle n'aime pas les séances photos. **4.** Elle ne signe pas les autographes. **5.** Elle ne sourit pas aux gens. **6.** Elle ne raconte pas sa vie.

8 ◁11▷ **Ex. :** Il n'aime pas sortir le soir.
1. Je n(e) joue pas au tennis.
2. Il fait de la course.
3. Tu sais très bien nager.
4. Tu m(e) racontes ton week-end.

5. Je n'invite pas Paul Durand.
6. Nous n(e) sommes pas d'accord.
7. On n'a pas le temps.
8. Vous ne lisez pas.
9. Elle veut regarder un film.
10. Je n(e) pense pas accepter l'invitation.

Affirmation : 2, 3, 4, 9
Négation : 1, 5, 6, 7, 8, 10

9 **1.** elle ne connaît pas **2.** Il n'aime pas **3.** il n'utilise pas **4.** il ne comprend pas **5.** il ne sait pas **6.** il ne voyage pas

10 **1.** il ne respire pas **2.** il ne parle pas **3.** ils ne jouent pas **4.** elles ne pleurent pas **5.** il ne rit pas **6.** elle ne danse pas **7.** elle ne chante pas

11 **1.** Il ne faut pas parler fort ! **2.** Il ne faut pas toucher aux tableaux ! **3.** Il ne faut pas aller dans le parc seul ! **4.** Il ne faut pas marcher sur l'herbe ! **5.** Il ne faut pas passer par cet escalier ! **6.** Il ne faut pas manger dans les salles !

12 **1.** Je ne sais pas danser. **2.** Nous ne voulons pas aller au cinéma. **3.** Julie et Adrien ne peuvent pas venir avec nous. **4.** On ne peut pas écouter du jazz dans ce bar. **5.** Natacha ne veut pas dîner au restaurant. **6.** Vous ne pouvez pas réserver les places. **7.** Vous ne devez pas revenir après minuit.

13 **1.** Tu <u>te promènes</u> beaucoup, mais tu ne te promènes pas seule la nuit. **2.** On <u>s'habille</u> bien pour aller au travail, mais le week-end on ne s'habille pas comme les autres jours. **3.** Elle <u>se maquille</u> quand elle sort, mais quand elle reste à la maison elle ne se maquille pas. **4.** Nous <u>nous reposons</u> dans le jardin, mais quand les enfants crient nous ne nous reposons pas. **5.** En général, vous <u>vous levez</u> tôt, mais en ce moment, vous ne vous levez pas tôt. **6.** Danny et John <u>s'amusent</u> le week-end, mais ce week-end ils ne s'amusent pas. **7.** Dounia <u>se coiffe</u> tous les matins, mais le week-end elle ne se coiffe pas.

B La négation *ne (n')* ... *personne*

14 **1.** Il n'y a personne ici. **2.** Vous ne connaissez personne dans votre immeuble ? **3.** Elle n'attend personne ce soir. **4.** Elle ne parle à personne. **5.** Ils n'écoutent personne. **6.** Vous ne discutez avec personne.

15 **1.** je n'entends personne **2.** elle ne travaille avec personne **3.** je ne cherche personne **4.** Ils n'écrivent à personne **5.** Elle ne téléphone à personne **6.** nous ne connaissons personne **7.** je ne pars avec personne

C La négation *ne (n')* ... *rien*

16 **1.** nous ne voulons rien **2.** il ne mange rien **3.** elle n'a rien **4.** je ne prends rien **5.** Nous n'achetons rien. **6.** je n'aime rien **7.** nous ne voyons rien

17 **1.** il ne comprend rien. **2.** il ne dit rien. **3.** il ne voit rien. **4.** il ne fait rien. **5.** il ne mange rien. **6.** il n'achète rien.

BILAN

❶ **1.** Il ne peut pas aller au théâtre. **2.** Il ne veut pas voir la pièce. **3.** Il ne connaît personne ici. **4.** Il ne parle pas avec mes copains. **5.** Il ne faut rien lui dire. **6.** Il ne se présente à personne. **7.** Ce n'est pas très facile.

❷ **1.** Tu ne parles à personne ! **2.** Tu n'aimes personne/rien ! **3.** Tu n'écoutes personne/rien ! **4.** Tu n'achètes rien ! **5.** Tu ne dis rien ! **6.** Tu n'invites personne ! **7.** Tu n'organises rien ! **8.** Tu ne travailles pas ! **9.** Alors, je ne reste pas avec toi. Je pars !

❸ **1.** – Non, je n'attends personne.
2. – Non, c'est vrai, je ne suis pas française.
3. – Vous êtes gentil mais je ne parle pas très bien français.
4. – Non, je ne travaille pas.
5. – Non, je ne suis pas étudiante.
6. – Non, je ne reste pas longtemps, seulement une semaine.
7. – Non, je regrette, je ne suis pas libre.
8. – Non, je ne fais rien.

❹ Les vacances ne se passent pas bien. Il ne fait pas beau. Il n'y a personne avec nous. La ville n'est pas jolie. On ne va pas à la plage. On n'apprend rien. On ne se promène pas. Ce n'est pas un séjour intéressant.

CHAPITRE

6 Le nom et l'article

A Le masculin et le féminin du nom

1 **1.** comédien **2.** avocate **3.** présentatrice **4.** vendeur **5.** informaticienne **6.** chanteuse **7.** infirmier **8.** conducteur

2 F : 5, 6   H : 2, 4   H/F : 1, 3, 7, 8, 9

3 **1.** photographe **2.** contrôleuse **3.** assistant **4.** bouchère **5.** employé **6.** libraire **7.** pharmacien **8.** violoniste **9.** acteur **10.** médecin

4 🎧 **12** **Ex. :** Allemand

1. ami(e)	**6.** ingénieur(e)
2. écrivaine	**7.** mathématicien
3. peintre	**8.** sportif
4. commerçante	**9.** voisine
5. Espagnol(e)	**10.** infirmier

Masculin : 7, 8, 10
Féminin : 2, 4, 9
Masculin/féminin : 1, 3, 5, 6

5 **1.** *femme* F / e mari : M

2. fils M / g fille F
3. cousin M / f cousine F
4. mère F / h père M
5. oncle M / b tante F
6. nièce F / d neveu M
7. frère M / a sœur F
8. grand-mère F / c grand-père M

6 Féminin : *circulation*, identité, odeur, profession, quantité, valeur
Masculin : mariage, visage

7 Masculin : *1*, 4, 5, 9, 12
Féminin : 2, 3, 6, 7, 8, 10, 11

8 Masculin : *1*, 2, 4, 5, 6, 8, 12, 14
Féminin : 3, 7, 9, 10, 11, 13, 15, 16

B Le singulier et le pluriel du nom

9 **1.** acteur **2.** journaux **3.** jeu **4.** parfums **5.** tableaux **6.** jours **7.** bateaux **8.** chemises **9.** maisons **10.** frères

10 **1.** provinciaux **2.** lieux **3.** cadeaux **4.** neveux **5.** manteaux **6.** journaux **7.** feux **8.** chapeaux **9.** cheveux **10.** bureaux **11.** chevaux **12.** travaux

11 🎧 **13** **Ex. :** animaux

1. choix	**6.** trottoir(s)
2. voisin(s)	**7.** chevaux
3. travail	**8.** nez
4. cheveu(x)	**9.** journal
5. œil	**10.** local

Singulier : 3, 5, 9, 10
Pluriel : 7
Singulier/Pluriel : 1, 2, 4, 6, 8

12 Non, dans la ville, il y a *des rues*, des hôpitaux, des châteaux, des églises, des canaux, des autobus, des magasins, des garages, des parcs, des places, des cafés, des universités, des gares.

C L'article indéfini et l'article défini

13 **1.** des lampes **2.** une table basse **3.** des fauteuils **4.** une bibliothèque **5.** un lit **6.** une table ronde **7.** des chaises **8.** une armoire **9.** un bureau ancien

14 **1.** des chemises **2.** une veste **3.** un pull **4.** des chaussettes **5.** des sous-vêtements **6.** une trousse de toilette **7.** une serviette **8.** une brosse **9.** un ordinateur **10.** une raquette de tennis **11.** des balles **12.** un vélo **13.** des chaussures **14.** un stylo **15.** un cahier **16.** des livres

15 **1.** le salon **2.** la cuisine **3.** les toilettes **4.** la salle de bains **5.** la chambre **6.** la salle à manger **7.** le bureau **8.** la terrasse **9.** l'escalier **10.** les couleurs

16 **1.** *a*, g **2.** d, e **3.** b **4.** c, f, h **5.** i, o, p **6.** k, l **7.** j, m, n

17 **1.** la mer **2.** les bateaux **3.** le ciel bleu **4.** la tranquillité **5.** les sandales **6.** la pluie **7.** la ville **8.** les voitures **9.** le ciel gris **10.** le bruit **11.** les bottes

18 **1.** il n'a pas de barbe. **2.** il n'a pas de lunettes. **3.** il n'a pas de moustache. **4.** il ne porte pas de pull. **5.** il ne porte pas de veste. **6.** il ne porte pas de gants. **7.** il ne porte pas de bottes.

19 **1.** je ne fais pas de courses. **2.** je ne passe pas d'examen. **3.** je ne fais pas de voyage. **4.** je ne rencontre pas de copains. **5.** je ne regarde pas de film. **6.** je n'organise pas de fête. **7.** je ne fais pas de pique-nique.

20 **1.** ce ne sont pas des roses. **2.** ce n'est pas un bijou. **3.** ce n'est pas un livre. **4.** ce n'est pas une robe. **5.** ce n'est pas un sac. **6.** ce ne sont pas des places de spectacle.

D L'article contracté avec les prépositions *à* et *de*

21 **1.** au football **2.** au concert **3.** à la campagne **4.** au club de gym **5.** à la maison **6.** à l'hôpital. **7.** au restaurant japonais **8.** aux jeux vidéo

22 **1.** c J'ai mal à la gorge. **2.** g J'ai mal au dos. **3.** f J'ai mal à l'estomac. **4.** e J'ai mal à la tête. **5.** a J'ai mal aux yeux. **6.** d J'ai mal aux pieds. **7.** b J'ai mal à la main.

23 **1.** du bureau **2.** de l'aéroport **3.** du musée **4.** des grands magasins **5.** de la station de métro **6.** de l'église

24 **1.** le dictionnaire de l'élève **2.** la robe de la mariée **3.** le livre du professeur **4.** les tablettes des étudiants **5.** l'agenda de la directrice **6.** l'appareil photo du touriste

25 a. **1.** c **2.** a. **3.** f. **4.** e. **5.** b. **6.** d. **7.** g
b. **1.** *Il est à l'écolier.* **2.** Il est à la jeune femme. **3.** C'est le violon du musicien. **4.** Ils sont aux informaticiens. **5.** Ce sont les passeports des touristes. **6.** Ce sont les plans du dessinateur. **7.** Ils sont au peintre.

BILAN

❶ **Féminin singulier** : une confiture, une crêpe, une tasse, une bouteille, une orange
Féminin pluriel : des assiettes, des bananes, des serviettes, des tartes, des pommes
Masculin singulier : un café, un verre, un sucre, un pain, un menu
Masculin pluriel : des fruits, des gâteaux, des œufs, des fromages, des plats

❷ **1.** un mariage **2.** un mariage important **3.** le mariage de mon fils **4.** une télévision **5.** une télévision très ancienne **6.** la télévision de ma grand-mère **7.** des disques **8.** des disques **9.** les disques de la mère de mon grand-père **10.** des antiquités

❸ **1.** Où sont les clés de la voiture ? – Sur la table dans l'entrée ! **2.** J'ai un problème à mon travail, je cherche un avocat. – La femme de Charles est

avocate, voilà sa carte. **3.** Bonjour madame, je cherche un grand fauteuil. – Le fauteuil ici, vous aimez ? **4.** Où se trouve le bureau du directeur ? – Il est en haut de l'escalier. **5.** Je cherche des informations sur Jacques Prévert. – Regardez dans la bibliothèque, à droite.

❹ Chère mamie, cher papi,
Je suis actuellement en Crète. Je passe des vacances merveilleuses ici. La mer est idéale, je me baigne tous les jours et je joue au volley sur la plage. Véro, elle, reste à l'hôtel, elle préfère lire. Elle lit un livre sur l'histoire de l'île. Elle n'aime pas le soleil, elle ne met pas de maillot de bains !
Nous allons souvent au restaurant et nous mangeons des fruits de mer délicieux.
Nous prenons l'avion de 14 heures après-demain pour rentrer à Lyon.
J'espère que vous allez bien. Je vous embrasse.
Morgane

❺ Salle Saphia Azzedine
– le document de référence
– un dossier
– des machines à café
– l'imprimante
– des dictionnaires
– les photocopieuses
– un classeur
– la carte géographique

7 Les adjectifs démonstratifs et les adjectifs possessifs

A Les adjectifs démonstratifs

1 **1.** ce **2.** ces **3.** cette **4.** cette **5.** ces **6.** ce **7.** cette **8.** ce **9.** cette **10.** ce

2 🎧 14 **Ex. :** ces rues

1. ce boulevard	**6.** cet hôtel
2. cet immeuble	**7.** ces monuments
3. cette maison	**8.** ces églises
4. ce magasin	**9.** cette avenue
5. ces restaurants	**10.** ce bar

3 **1.** *a*, b, e **2.** c, d, h **3.** f, i **4.** g, j

4 a. **1.** Cette institutrice **2.** Ce jeune homme **3.** Ces personnes **4.** cet acteur **5.** Cet enfant **6.** cette employée **7.** cet avocat **8.** ces routes **9.** Cette danseuse **10.** Cet enseignant

b. 🎧 15 **Ex. :** Vous devez rencontrer cet homme. / Vous devez rencontrer cette femme.

1. Cet instituteur est un ami d'enfance. / Cette institutrice est une amie d'enfance.

2. Cette jeune fille est étrangère ? / Ce jeune homme est étranger ?

3. Cette personne est avec vous ? / Ces personnes sont avec vous ?

4. Comment s'appelle cette actrice ? / Comment s'appelle cet acteur ?

5. Ces enfants sont adorables. / Cet enfant est adorable.

6. Que fait cet employé ? / Que fait cette employée ?

7. Je connais cette avocate. / Je connais cet avocat.

8. Tu connais cette route ? / Tu connais ces routes ?

9. Ce danseur est extraordinaire. / Cette danseuse est extraordinaire.

10. Cette enseignante parle trop vite. / Cet enseignant parle trop vite.

Identique : 1, 4, 6, 7, 10
Différente : 2, 3, 5, 8, 9

5 **1.** ce pull **2.** cette cravate **3.** ces chaussettes **4.** cette écharpe **5.** ces gants **6.** ces accessoires **7.** Ce manteau **8.** ce modèle **9.** ces deux vestes

6 **1.** ce **2.** cet **3.** ce **4.** Cette **5.** cet **6.** Ce **7.** cet **8.** cette **9.** ce **10.** Cette

B Les adjectifs possessifs

7 **1.** mes **2.** Sa – son **3.** votre **4.** Nos – leurs **5.** ta **6.** vos **7.** mon

8 **1.** Mes **2.** tes **3.** mon **4.** vos **5.** Ma **6.** tes **7.** Mes **8.** votre **9.** mon **10.** mes

9 **1.** *Ton*, sa **2.** nos **3.** Ta – son **4.** mon – ma **5.** Vos – leurs **6.** Votre – Mon

10 (16) **Ex. :** Voilà ton bonnet.

1. Tu as son peigne ?

2. Ils prennent leurs écharpes.

3. Voici vos médicaments.

4. Ils ont leurs pantalons.

5. Voilà votre raquette de tennis.

6. Elle prend ses chaussettes.

7. Ils ont nos sacs.

8. C'est son pull.

9. Nous avons notre appareil photo.

10. Elle a son imperméable.

11 **1.** ton **2.** ta **3.** son **4.** ses **5.** sa **6.** leur **7.** leur **8.** leurs

BILAN

❶ **1.** Ce – mon **2.** Cet – son **3.** Ce – ton/votre **4.** Ces – ses **5.** Cette – sa **6.** Ces – mes **7.** Ce – mon **8.** Ces – tes/vos

❷ **a.** **1.** cette **2.** ces **3.** ces **4.** ce **5.** ce **6.** cette **7.** cette **8.** ce **9.** ces **10.** ce
b. **1.** ta **2.** tes **3.** tes **4.** ton **5.** ton **6.** ton **7.** ta **8.** ton **9.** tes **10.** ton

❸ **1.** ce **2.** ma **3.** Cette **4.** mon **5.** Ces **6.** ce **7.** mes **8.** cet **9.** ma **10.** mon **11.** ton **12.** cet

❹ Lucie, ce soir, je rentre tard du bureau. Tu peux vérifier que mes chaussures rouges et mon imperméable sont bien dans mon armoire ? Merci ! Maman

Maman,
Demain, je pars tôt, j'ai ma leçon de japonais à 8 heures. À midi, je déjeune avec mes copains, mais je rentre tôt cet/cette après-midi et je te rapporte ton écharpe et tes gants. Bonne journée ! Lucie

❺ Lucien – Pardon, mais cette place, c'est la place 87. Je crois que c'est ma place !
Tony – Ah non ! C'est ma place, regardez mon billet !
Lucien – Sur mon billet aussi, c'est la place 87 !
Tony – Oui, mais regardez bien ! Cette voiture, ici, c'est la 6. Sur votre billet, c'est la 7 ! Votre voiture à vous, c'est la 7 !
Lucien – Ah, nous ne sommes pas dans la voiture 7 ?
Tony – Non, monsieur. Vous devez avancer encore pour atteindre votre/cette voiture.

^{CHAPITRE}
8 L'adjectif qualificatif

A Le masculin et le féminin de l'adjectif

1 **1.** camerounaise **2.** iranienne **3.** allemande **4.** finlandaise **5.** chinois **6.** mexicain **7.** argentine **8.** africaine

2 **1.** petit **2.** grand **3.** brune **4.** blonde **5.** poli **6.** gros **7.** belle **8.** vieille

3 F : 1, 2, 5, 7, 8
H : 4, 6
H/F : 3, 9, 10

4 (17) **Ex. :** calme

1. carré(e)	**5.** grosse	**9.** vieux
2. brune	**6.** chèr(e)	**10.** gentille
3. naturel(le)	**7.** moderne	**11.** blanc
4. heureux	**8.** longue	**12.** actif

Masculin : 4, 9, 11, 12
Féminin : 2, 5, 8, 10
Masculin/Féminin : 1, 3, 6, 7

5 **1.** Marco est *beau*, roux, sportif, menteur, vieux, gentil, doux, turc, fou, sérieux. **2.** Carole est *belle*, sportive, sérieuse, douce, turque, gentille, folle, vieille, rousse, menteuse.

6 **1.** naturel et doux **2.** menteuse et impolie **3.** généreux et gentil **4.** active et joyeuse **5.** jalouse et méchante **6.** un homme passionné et cultivé

CORRIGÉS

7 **1.** blanche **2.** jolie **3.** plein **4.** petite **5.** lourde **6.** cher **7.** ancienne **8.** grande

8 **1.** *noir* ou blanc **2.** jaune ou verte **3.** verte ou noire **4.** jaune ou vert **5.** blanc – blanche **6.** jaune, verte ou rouge

9 **1.** gros **2.** sec **3.** parfumée **4.** fraîche **5.** cru **6.** verte **7.** cuit **8.** sucré ou salé

10 **1.** large ou étroit **2.** moderne ou ancien **3.** ouvert ou fermé **4.** publique ou privée **5.** gratuit ou payant **6.** blanc ou bleu **7.** chaude ou glaciale

B Le singulier et le pluriel de l'adjectif

11 **a.** S : 3, 6, 7, 9
P : 5, 8
S/P : 1, 2, 4
b. **1.** Ce livre est *gros*, épais, lourd, vieux, ancien, unique, original. **2.** Ces livres sont *gros*, épais, vieux, nouveaux, intéressants.

12 🎧18 **Ex. :** Nous sommes sportives.
1. Nous sommes douces.
2. Nous sommes gentils.
3. Nous sommes dynamiques.
4. Nous sommes contents.
5. Nous sommes élégantes.
6. Nous sommes jaloux.
7. Nous sommes formidables.
8. Nous sommes heureux.
9. Nous sommes surprises.
10. Nous sommes désolé(e)s.

un frère et une sœur : 2, 3, 4, 6, 7, 8, 10
deux sœurs : 1, 3, 5, 7, 9, 10
deux frères : 2, 3, 4, 6, 7, 8, 10

13 **a.** S : 1, 3, 4, 8
P : 2, 6
S/P : 5, 7, 9
b. **1.** Cet homme est *élégant*, dynamique, mince, roux, généreux, poli, surpris. **2.** Ces hommes sont beaux, roux, menteurs, généreux, surpris.

14 🎧19 **Ex. :** local
1. naturel(s)
2. internationaux
3. beau(x)
4. vieux
5. nouveau(x)
6. national
7. original
8. spéciaux
9. tranquille(s)
10. officiel(s)

Singulier : 6, 7
Pluriel : 2, 8
Singulier/Pluriel : 1, 3, 4, 5, 9, 10

15 **1.** Ces histoires sont longues, difficiles mais passionnantes. **2.** Ces ballets sont variés et très connus. **3.** Ces poésies sont célèbres, courtes et faciles. **4.** Les photos sont belles, rares mais trop chères. **5.** Ces représentations sont drôles et festives.

BILAN

① **1.** italienne **2.** africains **3.** européenne **4.** japonaise **5.** américains **6.** brésilienne **7.** russes **8.** australiens **9.** française **10.** égyptiennes

② **1.** ronde **2.** décorée **3.** rouges **4.** jaunes **5.** blanches **6.** dorés **7.** délicieuse **8.** variés **9.** amicale **10.** romantiques

③ 🎧20 **1.** gentille(s) **6.** heureuse(s)
2. intelligente(s) **7.** normaux
3. rousse(s) **8.** doux
4. actif(s) **9.** spécial(e, es)
5. passionnant(s) **10.** contente(s)

Masculin singulier : 4, 5, 8, 9
Féminin singulier : 1, 2, 3, 6, 9, 10
Masculin pluriel : 4, 5, 7, 8
Féminin pluriel : 1, 2, 3, 6, 9, 10

④ Louis78 Je passe des moments **exceptionnels** dans cet hôtel. Nous sommes dans un lieu **confortable**. Les restaurants autour ne sont pas très **chers**.
Cloclod L'accueil ici est **merveilleux**. Près de l'hôtel, il y a une plage très **grande** et **belle**. Nous passons des vacances **géniales**.
SoniaBourdien La nourriture du restaurant de l'hôtel n'est pas **originale**. Heureusement, le personnel est **sympathique**.

⑤ La Martinique : un lieu rêvé !
Nous vous accueillons à bras ouverts ! Ici, la langue **officielle** est le français, et dans la vie **quotidienne** la population parle le créole. Le climat est **agréable/ doux**. Les températures, très **douces/agréables** varient entre 22 et 30 degrés. La mer est toujours **chaude**. La saison **sèche** dure de janvier à avril, la saison **humide** de juillet à novembre. Sur une partie de l'île, on trouve une forêt avec des arbres **tropicaux**. Au sud, il y a des sites **magnifiques**. La **longue** plage **blanche** des Salines ressemble à une carte **postale** !

CHAPITRE
9 L'article partitif et les quantités

A L'article partitif *du, de la, de l'*

1 **1.** *de la* – des – des – des – du – de l' **2.** de la – du – du – des **3.** du – des – de la – de la **4.** du – du – des – des – du

2 **1.** *du* – de l' **2.** du – de la **3.** du – du **4.** du **5.** du – de la **6.** des – des **7.** de la – du **8.** de la – du

3 **1.** Dans une boulangerie, on peut acheter *du pain*, de la brioche, des croissants, de la tarte aux

146

pommes, des gâteaux. **2.** Dans une pharmacie, on peut acheter des médicaments, du sirop contre la toux, de l'alcool à 90°, de l'aspirine, des pansements. **3.** Dans une épicerie, on peut acheter de la moutarde, du beurre, de l'huile, de l'eau minérale, des œufs.

4 🎧 21 **Ex. :** du pain

1. des légumes	**6.** des fruits
2. de la viande	**7.** du parfum
3. du fromage	**8.** de la tarte
4. du sirop	**9.** des gâteaux
5. de la crème	**10.** des livres

Masculin singulier : 3, 4, 7
Féminin singulier : 2, 5, 8
Pluriel : 1, 6, 9, 10

5 **1.** du **2.** du **3.** des **4.** des **5.** de la **6.** du **7.** Des **8.** de la **9.** du

6 **1.** Je fais du sport : *du football*, de la natation, de l'alpinisme, du ski, de l'équitation. **2.** Je fais de la musique : du piano, de la guitare, de l'harmonica, du violon, de l'accordéon.

7 **1.** des orages. **2.** du soleil. **3.** de la neige. **4.** du vent. **5.** de l'humidité. **6.** du brouillard. **7.** de l'air frais.

8 🎧 22 **Ex. :** Tu prends du sucre ?

1. Tu prends de l'huile ?
2. Tu prends du beurre ?
3. Tu prends des œufs ?
4. Tu prends du sel ?
5. Tu prends de la limonade ?
6. Tu prends du pain ?
7. Tu prends des gâteaux ?
8. Tu prends du poisson ?

1. je ne prends pas d'huile. **2.** je ne prends pas de beurre. **3.** je ne prends pas d'œufs. **4.** je ne prends pas de sel. **5.** je ne prends pas de limonade. **6.** je ne prends pas de pain. **7.** je ne prends pas de gâteaux. **8.** je ne prends pas de poisson.

9 **1.** il n'y a pas de crème **2.** tu n'ajoutes pas de beurre **3.** tu ne mets pas de sel **4.** tu n'ajoutes pas de bananes **5.** tu ne mets pas d'oranges **6.** on n'ajoute pas de maïs

B Préciser une quantité

10 **1.** Il n'y a pas beaucoup de livres. **2.** Il y a assez de places. **3.** Il n'y a pas assez de lumière. **4.** Il y a beaucoup de journaux. **5.** Il y a trop d'étudiants. **6.** Il n'y a pas assez de films.

11 🎧 23 **Ex. :** Il y a beaucoup de pâtes.

1. On a trop de légumes.
2. Il n'y a pas beaucoup de farine.
3. J'ai beaucoup d'eau minérale.
4. On a assez de chocolat.
5. Il reste peu de fruits.

6. Nous avons un peu d'huile.
7. Je n'ai pas assez de citrons.
8. J'ai peu de soupe.
9. Il reste assez de poulet.
10. Nous avons beaucoup de miel.

Il faut faire les courses : 2, 5, 6, 7, 8
Pas besoin de faire les courses. : 1, 3, 4, 9, 10

12 **1.** c *un morceau de pain* **2.** g une bouteille d'eau **3.** f un pot de confiture **4.** b un kilo de poires **5.** a une tablette de chocolat **6.** d une plaquette de beurre **7.** e un paquet de biscuits

BILAN

❶ **1.** du **2.** de **3.** du **4.** du **5.** de **6.** du **7.** d' **8.** du **9.** de la **10.** de

❷ **1.** trop de **2.** beaucoup de **3.** une cuillère de **4.** beaucoup d' **5.** un peu d' **6.** une tasse de **7.** assez de

❸ **1.** du – de l' – de – d' – de **2.** de – des – de la – du – de la **3.** de – des – des – d' – de **4.** de – des – du – de – de

❹ Salut Pacôme,
Je suis en Bretagne au bord de la mer. Nous sommes un groupe d'amis et nous faisons du camping. Tu le sais : nous n'avons pas beaucoup d'argent. ☺
Le matin, nous faisons de la voile. L'après-midi, il y a beaucoup de monde et beaucoup d'enfants, alors nous faisons du vélo !
Le soir, Gaston prépare des pâtes avec un peu de charcuterie. Nous faisons beaucoup de jeux, beaucoup de musique, et parfois trop de bruit !
Bises.
Émilie

❺ Pour réussir une très bonne pâte à gaufres, il faut :
– de la farine (250 g. de farine)
– un peu d'eau
– du beurre fondu (50 g. de beurre)
– des œufs (deux œufs)
– de la levure (un demi-sachet de levure)
– un peu de beurre pour la cuisson…
Et pour les déguster, on peut mettre de la confiture, du chocolat, du sucre.
Ou beaucoup d'autres choses !
Bon appétit !

CHAPITRE

10 L'expression du lieu

A Les continents, les pays et les villes

1 **Féminin :** *l'Afrique du Sud*, la Colombie, la Nouvelle-Zélande, l'Égypte, la Hongrie, la Pologne, la Suisse, la Tunisie **Masculin :** le Chili, le

Danemark, l'Équateur, l'Irak, le Kenya, le Liban, le Pérou, le Vietnam **Pluriel :** les Émirats arabes unis, les Seychelles **Sans article :** Bogota, Cuba, Malte, Londres, Moscou

2 1. Le Luxembourg **2.** L'Allemagne **3.** La Suisse **4.** L'Italie **5.** L'Espagne **6.** Le Royaume-Uni

B *À, en, au, aux* avec les villes, les pays et les continents

3 1. au **2.** en **3.** en **4.** au **5.** aux **6.** en **7.** à **8.** aux

4 1. Sean habite à Dublin, en Irlande. **2.** Alioun habite à Dakar, au Sénégal. **3.** Pedro habite à La Havane, à Cuba. **4.** Janek habite à Varsovie, en Pologne. **5.** Khaled habite à Damas, en Syrie. **6.** Akira habite à Kyoto, au Japon.

5 1. Berlin est en Allemagne, en Europe. **2.** Lima est au Pérou, en Amérique du Sud. **3.** Tokyo est au Japon, en Asie. **4.** Nairobi est au Kenya, en Afrique. **5.** Toronto est au Canada, en Amérique du Nord. **6.** Melbourne est en Australie, en Océanie. **7.** Séoul est en Corée du Sud, en Asie.

C Les prépositions *à, de* et *chez*

6 1. d **2.** e **3.** a **4.** f **5.** g **6.** b **7.** c

7 1. *chez* **2.** à l' **3.** au **4.** chez **5.** à l' **6.** chez **7.** à la **8.** à la **9.** chez **10.** aux **11.** au **12.** chez le

8 1. chez le **2.** à la **3.** à la **4.** chez le **5.** à l' **6.** chez le **7.** à la **8.** chez le **9.** à la

9 du : 2, 4, 12 d' : 3, 7, 11 de : 1, 5, 6, 9 des : 8, 10

10 1. au **2.** du **3.** de la **4.** aux **5.** de l' **6.** au **7.** à l' **8.** au

11 🎧 24 **Ex. :** Je reviens du théâtre.
1. Elle sort de la pharmacie.
2. Nous allons au restaurant.
3. Il sort du bureau.
4. Elle va à la bibliothèque.
5. Ils vont au cinéma.
6. Nous sommes à la banque.
7. Vous déjeunez à la crêperie.
8. Il fait ses courses au supermarché.
9. Elles reviennent du musée.
10. Vous êtes à la réception.

Masculin : 2, 3, 5, 8, 9
Féminin : 1, 4, 6, 7, 10

12 1. Ils vont de la maison à l'hôpital. **2.** Je vais de l'hôpital au bureau. **3.** Nous allons du bureau à la banque. **4.** Tu vas de la banque au supermarché. **5.** Vous allez du supermarché au stade. **6.** Elles vont du stade à la mairie. **7.** Il va de la mairie à la médiathèque. **8.** Je vais de la médiathèque à l'aéroport. **9.** Vous allez de l'aéroport à la gare.

13 1. au **2.** de l' **3.** au **4.** à la **5.** au **6.** à la **7.** du

D Les prépositions *dans, derrière, devant, entre, sous, sur*

14 1. dans **2.** sur **3.** dans **4.** sur **5.** dans **6.** dans **7.** sur **8.** sur

15 1. dans – dans **2.** dans – à côté du **3.** entre **4.** entre **5.** devant **6.** derrière

E Autres prépositions et expressions de lieu

16 1. *f*, g, h **2.** a, d, j **3.** c, e, **4.** b, i

17 1. Marseille ! L'office de tourisme se trouve près du port, à côté du marché aux poissons. Sur le quai, vous pouvez visiter le MUCEM, notre célèbre Musée des civilisations de l'Europe et de la Méditerranée. En face du musée, le fort Saint-Jean propose des expositions historiques. Vous avez un arrêt de bus en face du MUCEM pour faire le tour de la ville et aller en haut de la colline où se trouve la basilique Notre-Dame-de-la-Garde. **2.** Lyon ! Le nouveau musée Confluences est entre le Rhône et la Saône, et le musée des Beaux-Arts sur la presqu'île. Au nord de la ville, il y a aussi le Musée d'Art Contemporain. Le marché gastronomique se trouve à l'intérieur des Halles, et vous pouvez vous promener dans le Vieux Lyon. Vous pouvez aussi vous rendre en haut de la colline jusqu'à Notre-Dame-de-Fourvière.

18 1. jusqu'au **2.** sur **3.** derrière **4.** dans **5.** à droite **6.** en haut de **7.** à gauche **8.** en bas de **9.** chez

BILAN

❶ 1. En – en **2.** Au – en **3.** En – en **4.** Au – en **5.** Au – en **6.** En – en **7.** Au – au **8.** Aux – en **9.** En – en **10.** En – en – en

❷ 1. à **2.** chez **3.** au bord du **4.** en **5.** à **6.** dans **7.** au **8.** au

❸ 1. Le Centre Pompidou est situé près des Halles. **2.** La tour Eiffel est en face du Trocadéro. **3.** Notre-Dame est au centre de la ville. **4.** L'aéroport d'Orly est au sud de Paris. **5.** Le Stade de France se trouve au nord de la capitale. **6.** La place du Tertre est à côté du Sacré-Cœur. **7.** Le Panthéon est près du Jardin du Luxembourg. **8.** Les Champs-Élysées sont loin de la Bibliothèque nationale de France.

❹ Bienvenue à Lille ! Située au nord de la France, Lille est une ville très active. Pour découvrir Lille, vous partez de la gare Lille Flandres et vous arrivez dans le centre historique de la ville. Vous passez devant la Citadelle. À côté de ce monument, il y a un beau parc. Après, vous pouvez visiter La Piscine-Musée d'Art et d'Industrie avec ses nombreuses sculptures. Près du musée, il y a la Grand-Place : c'est magnifique ! Grimpez en haut du beffroi de l'Hôtel de Ville pour une vue unique. Et après, un bon repas est nécessaire : installez-vous au restaurant *L'Autre Monde* dans un décor original.

5 Le plan de ma chambre. Elle se trouve **dans** un appartement à Marseille, **dans** le 5ᵉ arrondissement. **Dans** ma chambre, j'ai un lit, une armoire, un bureau, des étagères et un beau tapis **devant** l'armoire. Les étagères sont **entre** la porte et la fenêtre. Le lit est **en face des** étagères. **À côté de** mon lit, j'ai une petite table et **sur** cette petite table, il y a une lampe. L'armoire est **en face de** la fenêtre et le bureau est **près de** l'armoire. Bien sûr, il y a une chaise confortable **devant** le bureau. C'est clair et calme : je suis très content.

CHAPITRE

11 L'expression du temps

A Les moments dans le temps

1 **1.** à quelle heure **2.** quelle heure est-il **3.** quelle heure est-il **4.** à quelle heure **5.** À quelle heure **6.** Quelle heure est-il **7.** à quelle heure

2 🎧 25 **Ex. :** Le professeur arrive à 8 heures et demie.
1. Mike arrive à 9 heures.
2. Stéphanie arrive à 9 heures et quart.
3. Souad arrive à 9 heures 10.
4. J'arrive à 9 heures moins vingt.
5. Tom et Max arrivent à 9 heures.
6. Louise arrive après 10 heures.
7. Judith est présente à 8 h 45.
8. Nous sommes là à 9 heures.

En avance : 4, 7
À l'heure : 1, 5, 8
En retard : 2, 3, 6

3 **1.** Elle commence le travail à neuf heures. **2.** Elle a deux réunions mercredi après-midi. **3.** Elle a un déjeuner d'affaires demain midi. **4.** Elle termine sa journée à minuit. **5.** Elle part en week-end vendredi soir. **6.** Elle va au restaurant samedi soir. **7.** Elle revient lundi matin.

4 **1.** *le soir* **2.** la nuit **3.** le matin **4.** le soir **5.** l'après-midi **6.** la journée **7.** la nuit

5 **1.** en **2.** au **3.** en **4.** en **5.** au **6.** au **7.** en **8.** au

6 **1.** C'est mardi. Nous sommes le 31 décembre. **2.** C'est mercredi. Nous sommes le 21 juin. **3.** C'est jeudi. Nous sommes le 1ᵉʳ septembre. **4.** C'est vendredi. Nous sommes le 1ᵉʳ avril. **5.** C'est samedi. Nous sommes le 8 octobre. **6.** C'est dimanche. Nous sommes le 18 juillet. **7.** C'est lundi. Nous sommes le 29 février.

7 **1.** en été **2.** en hiver **3.** en été **4.** au printemps **5.** en automne **6.** en hiver

B Habitude ou action unique

8 🎧 26 **Ex. :** Le midi, je mange avec mes collègues.
1. Je vais au théâtre ce soir.
2. Ce week-end, ils partent chez des amis.
3. Le matin, je me lève à 7 heures.
4. Ce dimanche, on va pique-niquer.
5. Cet après-midi, ils ont une réunion.
6. Vous arrivez tôt le matin !
7. Le soir, nous rentrons tard.
8. Le dimanche, vous allez au cinéma.
9. Je ne travaille pas ce matin.
10. Vous venez chez nous, cette semaine ?

Habitude : 3, 6, 7, 8
Action unique : 1, 2, 4, 5, 9, 10

9 **1.** Il y a deux avions pour Dakar, le mardi après-midi et le jeudi après-midi. **2.** Il y a deux avions pour Séoul, le mercredi soir et le vendredi matin. **3.** Il y a deux avions pour Melbourne, le lundi matin et le samedi soir. **4.** Il y a un avion pour Tahiti, le dimanche soir.

C Des prépositions de temps

10 **1.** avant 15 heures **2.** de 9 heures à 17 heures **3.** après 19 heures **4.** pendant le mois d'août **5.** jusqu'à 19 heures **6.** après le travail **7.** pendant l'après-midi

11 **1.** de 14 heures à 18 heures **2.** du mercredi au vendredi **3.** de 10 heures à midi **4.** du 1ᵉʳ au 31 août **5.** de 15 heures à 17 heures **6.** de 9 heures à midi **7.** du lundi au vendredi **8.** de midi à 13 heures

D Des adverbes pour indiquer la fréquence

12 **1.** Ils font souvent du sport le soir. **2.** Nous n'avons jamais le temps de dormir. **3.** Elles courent toujours ! **4.** Vous ne vous reposez jamais. **5.** Je suis toujours occupée. **6.** Elle dort parfois chez ses amis. **7.** Tu sors souvent le samedi. **8.** Il va rarement au cinéma.

13 **1.** Je travaille souvent le soir. **2.** Je prends toujours le taxi. **3.** Je passe rarement mes soirées en famille. **4.** Je voyage généralement en avion. **5.** J'organise souvent des réunions. **6.** Je ne pars jamais en vacances. **7.** Je dors généralement dans un hôtel.

14 **1.** il ne fait jamais **2.** je ne lis jamais **3.** ils ne voyagent jamais **4.** je ne dors jamais **5.** elle n'a jamais le temps **6.** on ne se promène jamais **7.** elles ne regardent jamais

BILAN

1 **1.** c **2.** g **3.** a **4.** b **5.** d **6.** f **7.** e

2 **1.** Je suis née en 1985, en février. **2.** En général, je travaille du lundi au vendredi. **3.** J'ai souvent des rendez-vous l'après-midi de 14 heures à 17 heures. **4.** Ce soir, je rentre chez moi à 18 heures. **5.** Ce samedi, c'est l'anniversaire de mon fils. **6.** Nous devons organiser la fête avant vendredi soir. **7.** Pendant la fête, on va danser.

❸ 1. à **2.** quelle heure **3.** en retard **4.** Demain **5.** à **6.** Au mois de **7.** pendant **8.** le vendredi **9.** de ... à **10.** à **11.** parfois **12.** jusqu'à

❹ – Salut Johan, je suis libre cet après-midi ! On va au cinéma, voir *Tous debout* ?
– C'est à quelle heure ?
– À 16 h 30. Mais c'est un peu long. Ça dure trois heures.
– Impossible pour moi **avant** 20 h, j'ai chorale.
– Il y a une autre séance, de 20 h 30 à 23 h 30. C'est bien aussi.
– D'accord ! Rendez-vous ce soir devant le cinéma.
– À 20 h 15, ça va ?
– Avant, si tu peux. Parce qu'il y a toujours beaucoup de monde !

❺ Le magasin Boutique est heureux de vous inviter à la présentation de nos nouveaux modèles, **au mois de** janvier prochain, le samedi 11. Merci de vous présenter **avant** 19 h 45 (après cette heure, les portes seront fermées). Le défilé commencera à 20 heures. Puis un buffet chaud sera servi **jusqu'à** 23 heures. Nous vous attendons nombreux !

CHAPITRE

12 Les pronoms toniques et les pronoms personnels compléments

A Les pronoms toniques

1 1. c **2.** g **3.** d **4.** a **5.** h **6.** b **7.** e **8.** f

2 1. Il rentre <u>chez</u> lui. **2.** Ce mél est <u>pour</u> elle. **3.** On passe <u>chez</u> toi. **4.** Nous parlons <u>de</u> vous. **5.** Vous pensez <u>à</u> eux. **6.** Elle part <u>avec</u> moi. **7.** Il travaille <u>avec</u> elle. **8.** Je reste <u>chez</u> toi.

3 1. tu **2.** nous **3.** eux **4.** toi **5.** vous **6.** lui **7.** elle **8.** vous **9.** lui

B Les pronoms compléments d'objet directs (COD)

4 1. Tu m'écoutes ? – Oui, oui, je t'écoute. **2.** Tu m'appelles ce soir ? – Oui, pas de problème, je t'appelle ce soir ! **3.** Tu m'attends un instant ? – Oui, je t'attends, mais pas longtemps. **4.** Tu me comprends ? – Mais oui, bien sûr, je te comprends très bien ! **5.** Tu m'invites bientôt ? – D'accord, je t'invite samedi.

5 a. 1. Ils nous appellent **2.** ils nous invitent **3.** Ils nous aident
b. 4. je vous vois **5.** Je vous trouve **6.** Je vous regarde **7.** je vous écoute **8.** Je vous aime

6 1. Tu nous accompagnes. **2.** Nous vous cherchons. **3.** Vous m'aidez. **4.** Nous te conseillons. **5.** Vous m'attendez. **6.** Vous nous comprenez. **7.** Tu me préviens. **8.** Tu nous choisis.

7 🔊27 Ex. : Vous le prenez tous les matins ?
1. Tu les connais ?
2. Je ne l'aime pas.
3. On la prend.
4. Tu le regardes ?
5. Vous l'attendez longtemps ?
6. Nous les achetons avant le départ.
7. Elle le rate souvent.

1. les stations **2.** ta moto **3.** la bicyclette **4.** le tableau **5.** le taxi **6.** les billets **7.** le RER

8 1. les **2.** la **3.** les **4.** le **5.** l' **6.** les

9 1. l' **2.** les **3.** le **4.** le **5.** la **6.** les **7.** la

10 1. La maison, tu la vois ? **2.** Le plan, tu le regardes ? **3.** Les tickets de bus, nous les avons dans la poche. **4.** Delphine, elle vous attend avec impatience. **5.** Delphine, je la préviens tout de suite. **6.** Allez, les escaliers, on les monte à pied.

C Les pronoms compléments d'objet indirects (COI)

11 1. t' **2.** te **3.** vous **4.** te **5.** m' **6.** vous **7.** m'

12 1. Vous lui laissez un message ? **2.** Tu m'indiques le chemin. **3.** Nous te parlons calmement. **4.** Elle leur écrit rarement. **5.** Ils t'expliquent lentement ? **6.** On vous répond par mél. **7.** Vous lui téléphonez demain ?

13 1. a **2.** f **3.** e **4.** b **5.** d **6.** c **7.** g

14 🔊28 Ex. : Tu téléphones à ton assistante aujourd'hui ?
1. Il écrit à sa collègue ?
2. Vous parlez à vos voisins ?
3. Elle sourit aux clients ?
4. Il répond à ses employés ?
5. Tu dis la vérité à ton directeur ?
6. Elle laisse des messages à son chef ?
7. On demande de l'aide au technicien ?

1. lui **2.** leur **3.** leur **4.** leur **5.** lui **6.** lui **7.** lui

D La place des pronoms dans une phrase négative

15 1. d **2.** c **3.** f **4.** e **5.** b **6.** g **7.** a

16 1. Tu ne les connais pas bien. **2.** Je ne leur téléphone pas souvent. **3.** Ils ne lui répondent jamais. **4.** Elles ne les aiment pas. **5.** Nous ne l'entendons pas assez. **6.** Je ne vous parle pas. **7.** Il ne nous comprend pas bien.

17 **1.** Je ne lui écris pas. **2.** Je ne la contacte pas. **3.** Je ne l'entends pas. **4.** Je ne le comprends pas. **5.** Je ne lui téléphone pas. **6.** Je ne les invite pas. **7.** Je ne leur parle pas.

BILAN

1 **1.** L'avion, je ne le prends pas toujours. **2.** Les touristes, tu leur parles souvent. **3.** Ma sœur, elle part avec moi. **4.** Nos amis canadiens, nous allons chez eux. **5.** Le policier, il me demande mes papiers. **6.** Les guides, vous les remerciez beaucoup. **7.** Tous ces cadeaux, ils ne sont pas pour toi.

2 **1.** l' – les **2.** les – elles **3.** l' – eux **4.** lui – la **5.** leur – les **6.** les – les **7.** l' – moi – la

3 **1.** je ne le connais pas **2.** nous ne le prenons pas **3.** nous le prenons **4.** je ne l'utilise pas **5.** je l'utilise **6.** je lui écris **7.** je lui envoie **8.** je ne leur téléphone pas **9.** je ne les connais pas

4 Je garde vos enfants le soir, et je les emmène au parc le mercredi. Vous pouvez me contacter le soir, chez moi ou sur mon portable. – Tu as des difficultés en maths ? Je t'aide ! Tu me téléphones et je t'explique, ou bien tu m'appelles et je viens chez toi. – Je vous aide pour les problèmes d'ordinateur. Je l'emporte chez moi ou bien je viens chez vous. – Anglais, espagnol, chinois : je m'occupe de vos traductions. Je les fais rapidement : vous m'envoyez vos documents et je les renvoie dans les 48 h.

5 Grégoire arrête sa voiture. Il la gare près du café où il retrouve ses amis. Il leur fait signe et vient s'asseoir à côté d'eux. Il appelle la serveuse, elle le regarde et tous les deux se reconnaissent : Grégoire ! Amélie ! Elle s'approche de lui, il se lève et il l'embrasse. Puis il se rassoit et elle reprend son service. Les amis de Grégoire sont très surpris : « Amélie, tu la connais ?! »
– Mais oui, entre elle et moi, c'est une longue histoire ! Je la connais depuis l'école.
– Ah bon ! Tu nous racontes ou tu gardes ça pour toi ? »

CHAPITRE
13 **Les pronoms relatifs** *qui* **et** *que*

A **Le pronom relatif** *qui*

1 **a.** **1.** Elle coupe les cheveux. **2.** Il conduit une voiture. **3.** Elles soignent les malades. **4.** Il crée des vêtements. **5.** Ils font des interviews. **6.** Ils jouent dans un théâtre.

b. **1.** La coiffeuse est une personne qui coupe les cheveux. **2.** Le chauffeur est une personne qui conduit une voiture. **3.** Les infirmières sont des personnes qui soignent les malades. **4.** Le styliste est une personne qui crée des vêtements. **5.** Les journalistes sont des personnes qui font des interviews. **6.** Les comédiens sont des personnes qui jouent dans un théâtre.

2 **1.** Un parapluie, c'est un objet qui protège de la pluie. **2.** Un réveil, c'est un objet qui donne l'heure. **3.** Un fauteuil, c'est un meuble qui est confortable. **4.** Un avion, c'est un moyen de transport qui vole. **5.** Un journal, c'est un objet qui présente des informations. **6.** Un téléphone, c'est un objet qui permet de communiquer.

3 **1.** Elle écoute une chanson qui parle d'amour. **2.** Tu lis un journal qui donne les programmes de la télévision. **3.** Vous regardez un film qui raconte une histoire vraie. **4.** J'ai vu un spectacle qui dure trois heures. **5.** Il écrit un roman qui raconte la vie de Marie Curie. **6.** Je chante dans une chorale qui est spécialisée dans le jazz.

4 **1.** On va souvent dans ce magasin qui reste ouvert tard. **2.** Nous invitons les gens qui sont nouveaux dans le quartier. **3.** Il y a des bus qui circulent la nuit. **4.** La voisine a un appartement qui me plaît beaucoup. **5.** Nos enfants vont à l'école qui est en face de chez nous. **6.** Je n'aime pas les motos qui font beaucoup de bruit.

5 **1.** C'est moi qui vais vous conduire à votre bureau. **2.** C'est toi qui reçois les appels téléphoniques. **3.** C'est nous qui sommes responsables du secteur Asie. **4.** C'est vous qui êtes l'assistant du directeur. **5.** C'est elle qui s'occupe du courrier. **6.** C'est lui qui est chargé de la communication.

B **Le pronom relatif** *que*

6 **1.** C'est un chanteur que j'écoute souvent. **2.** Je ne connais pas ces artistes que vous aimez. **3.** C'est un photographe célèbre qu'elle ne connaît pas. **4.** Ils admirent ce danseur que nous détestons. **5.** Dans ce film, il y a des acteurs qu'on aime beaucoup. **6.** Ils ont des tableaux de ce peintre que je n'aime pas.

7 **1.** qu' **2.** qu' **3.** que **4.** qu' **5.** qu' **6.** que

8 **1.** On n'aime pas les plats que vous préparez. **2.** J'aime bien les amis que tu fréquentes. **3.** Lisa adore le parfum que je mets. **4.** Je n'aime pas les vêtements qu'elles portent. **5.** Antoine préfère les musiques que j'écoute. **6.** Elle aime beaucoup les séries que tu regardes.

BILAN

1 🎧 29 **1.** J'aime le manteau qu'elle porte aujourd'hui. **2.** C'est le cadeau que nous avons choisi pour Tiago. **3.** Tu connais l'actrice qui joue dans ce film ?

4. Ce sont mes amis qui vivent en Afrique du Sud.

5. J'aime beaucoup le livre que j'ai acheté.

6. C'est un livre qui parle de l'antiquité romaine.

7. Ils habitent dans l'avenue qui mène à la gare.

8. Je t'invite dans un restaurant que je connais bien.

9. Je te présente Mona qui vient du Brésil.

10. C'est une personne que j'admire.

Qui : **3, 4, 6, 7, 9**
Que/qu' : **1, 2, 5, 8, 10**

2 1. que 2. qui 3. qu' 4. qui 5. qui 6. que 7. qui

3 1. que 2. que 3. qui 4. qui 5. qu' 6. qui 7. que

4 1. qui 2. qu' 3. qui 4. que 5. qui 6. qui 7. qui 8. qui 9. qui 10. qu'

5 Chers amis,
Nous sommes ravis de vous laisser notre appartement. Nous laissons les clés chez la voisine **qui** habite l'appartement en face de chez nous. Vous pouvez vous installer dans la chambre d'Hugo **qui** est confortable et **qui** se trouve à côté du séjour.
Et puis, si vous avez un problème, vous pouvez vous adresser à M. Bois : c'est lui **qui** remplace notre gardien **qui** est malade. Et c'est lui aussi **qui** fait le ménage dans l'immeuble. M. Bois est un homme très aimable **que** nous apprécions beaucoup. Pour aller au centre-ville, vous avez des bus **qui** passent tous les quarts d'heure.
Bon séjour ! Louis & Ingrid

6 Je suis un objet **qui** est petit, **qu'**on achète souvent et **qui** s'utilise une seule fois. Je suis ? **Un ticket de métro.**
Je suis un objet **qu'**on met au bras, **qui** indique l'heure et **qu'**on ne regarde pas en vacances. Je suis ? **Une montre.**
Je suis un objet **qui** est en métal, **qu'**on utilise pour ouvrir une porte et **qu'**il ne faut pas perdre. Je suis ? **Une clé.**
Je suis un objet **qu'**on porte sur le nez, **qui** aide à voir facilement et **qui** est très fragile. Je suis ? **Des lunettes.**

CHAPITRE
14 Le futur proche

A Le futur proche à la forme affirmative

1 1. f 2. e 3. a 4. c 5. d 6. b 7. g

2 1. va louer 2. allez aller 3. va préparer 4. vont envoyer 5. vas commander 6. allons décorer

3 1. Tu vas t'endormir. 2. On va se coucher. 3. Elles vont s'ennuyer. 4. Vous allez vous coiffer. 5. Je vais me présenter. 6. Nous allons nous organiser. 7. Vous allez vous arrêter. 8. Ils vont s'informer.

4 1. Nous allons nous habiller 2. tu vas te déguiser 3. on va se dépêcher 4. Vous allez vous amuser. 5. Elles vont s'installer 6. On va se retrouver 7. Nous allons nous serrer

5 1. Je vais me préparer pour le voyage. 2. On va prendre les billets d'avion. 3. Tu vas louer une voiture. 4. Nous allons réserver les chambres d'hôtel. 5. Ils vont s'informer sur les tarifs. 6. Elle va se renseigner à l'office de tourisme. 7. Vous allez demander un visa.

6 1. Comment est-ce qu'il va revenir ? 2. Avec qui est-ce qu'elle va voyager ? 3. Où est-ce que tes amis vont travailler ? 4. Qu'est-ce que vous allez étudier ? 5. Quand est-ce que tu vas commencer à travailler ? 6. Où est-ce qu'elles vont habiter ? 7. Pourquoi est-ce que vous allez apprendre à conduire ?

B Le futur proche à la forme négative

7 1. Tu ne vas pas parler aux copains. 2. Nous n'allons pas répondre au professeur. 3. On ne va pas jouer avec les autres. 4. Vous n'allez pas apprendre vos leçons. 5. Elles ne vont pas faire leurs exercices. 6. Je ne vais pas réviser les conjugaisons. 7. Ils ne vont pas rendre leur copie. 8. On ne va pas être polis avec nos enseignants.

8 🔊30 **Ex. :** Ils ne vont pas se brosser les dents.
1. Nous ne nous asseyons pas calmement.
2. On ne se lave pas les cheveux.
3. Je ne vais pas me mettre à table.
4. Tu ne vas pas te dépêcher.
5. Vous ne vous entraînez pas.
6. Elle ne va pas s'habiller.
7. Nous n'allons pas nous endormir.
8. Vous n'allez pas vous reposer.
9. Elles ne se promènent pas.
10. On ne va pas se lever de bonne heure.

Présent : 1, 2, 5, 9
Futur proche : 3, 4, 6, 7, 8, 10

9 1. je ne vais pas rentrer 2. vous n'allez pas venir 3. ils ne vont pas finir 4. elles ne vont pas rester 5. tu ne vas pas prendre 6. nous n'allons pas aller 7. vous n'allez pas regarder 8. elles ne vont pas rentrer tôt

BILAN

1 a. 1. c 2. a 3. d 4. f 5. b 6. e
b. 1. Je vais corriger les examens et passer du temps en famille. 2. Nous allons nous marier et organiser une fête. 3. Nous allons aller à la plage et nous amuser dans le sable. 4. Je vais fermer le magasin et me préparer pour la saison prochaine. 5. Je vais visiter l'Afrique et m'arrêter au Kenya. 6. Nous allons nous reposer après les examens et partir en vacances.

2 1. Tu ne vas pas te lever tôt. 2. Patrick va préparer un brunch. 3. On ne va pas rester à la maison. 4. On va aller voir un bon film. 5. Ils vont aller à la fête de Charles et Sophie. 6. Vous n'allez pas vous ennuyer. 7. Ça va être un dimanche spécial.

3 1. Ce soir, je vais travailler, je ne vais pas me coucher tôt. 2. Ce week-end, il va étudier, il ne va pas se promener. 3. Dimanche, vous allez déménager, vous n'allez pas vous reposer. 4. Cet été, nous allons voyager, nous n'allons pas nous arrêter. 5. La semaine prochaine, ils vont passer un examen, ils ne vont pas s'amuser. 6. Samedi soir, je vais aller à un anniversaire, je ne vais pas m'ennuyer.

4 – Lucas, tu vas faire quoi ce week-end ?
– Je crois que je vais me promener à Versailles.
– Bonne idée ! Tu sais quel temps il va faire ?
– Beau ! Il ne va pas pleuvoir.
– Tu vas aller là-bas seul ?
– Non, je vais proposer à un ami.
– Et vous allez pique-niquer dans le parc ?
– Oui, bien sûr. Tu veux venir avec nous ?
– Non, je ne peux pas. J'ai un examen bientôt, je vais réviser tout le week-end.
– Tu ne vas pas t'amuser. Bon courage !
– Merci, et toi, bonne journée à Versailles !

5 Alexis et Léna partent explorer la Sibérie. Ensemble, ils vont faire le tour du lac Baïkal. Ils vont marcher pendant plusieurs jours mais ils vont se perdre. Des villageois vont trouver Léna. Elle va rester avec eux et elle va vivre comme eux. Alexis, lui, va passer plusieurs mois sur le bateau d'un pêcheur. Les deux héros vont se retrouver, mais longtemps après. Vous allez suivre leurs aventures avec émotion et vous allez aimer ces paysages uniques !

CHAPITRE
15 Le passé composé

A La formation du passé composé

1 1. regarder – regardé 2. manger – mangé 3. dîner – dîné 4. étudier – étudié 5. déjeuner – déjeuné 6. discuter – discuté 7. jouer – joué 8. photographier – photographié 9. dessiner – dessiné 10. apprécier – apprécié

2 1. b apprendre – appris 2. d comprendre – compris 3. e dormir – dormi 4. f dire – dit 5. c écrire – écrit 6. a finir – fini 7. k mettre – mis 8. i partir – parti 9. j prendre – pris 10. h rire – ri 11. l servir – servi 12. g sortir – sorti

3 1. e attendre – attendu 2. c perdre – perdu 3. f devoir – dû 4. g avoir – eu 5. i obtenir – obtenu 6. j devenir – devenu 7. b connaître – connu 8. a lire – lu 9. h entendre – entendu 10. k descendre – descendu 11. j boire – bu 12. p venir – venu 13. r pleuvoir – plu 14. q voir – vu 15. n tenir – tenu 16. m vivre – vécu 17. o pouvoir – pu 18. l falloir – fallu

4 1. Participes en -i : choisi, parti, réfléchi, sorti
2. Participes en -u : bu, couru, dû, lu, pu, reçu, su, voulu
3. Participes en -it : conduit, dit, écrit
4. Participes en -is : appris, mis, pris
5. Participes en -ert : offert, ouvert

B Le passé composé avec *avoir*

5 1. g 2. f 3. a 4. b 5. d 6. c 7. e

6 1. j'ai goûté 2. j'ai essayé 3. il a cassé 4. il a déchiré 5. il a brûlé 6. il a glissé 7. nous avons déjeuné 8. Nous avons rangé 9. nous avons regardé un film 10. nous avons écouté 11. nous avons dîné

7 1. j'ai pris 2. nous avons couru 3. vous avez fini 4. tu as fait 5. il a mis 6. j'ai reçu 7. vous avez écrit

8 1. Il a choisi 2. Il a fait 3. Il a prévu 4. Il a téléphoné 5. Il a pris 6. Il a vérifié 7. Il a prévenu

C Le passé composé avec *être*

9 1. elle est partie – elle est arrivée 2. nous sommes allés 3. vous n'êtes pas sorties – nous sommes restées 4. tu es venu 5. tu es tombée 6. vous êtes née 7. je suis monté – je suis descendu

10 1. mon père est parti 2. ma mère, ma sœur et moi sommes allées 3. Nous sommes tous restés 4. Ma sœur et moi sommes revenues – nous sommes entrées 5. Nous sommes restées 6. Mes parents sont rentrés 7. ma sœur aînée est allée

11 1. Je suis sortie 2. nous sommes allés 3. nous sommes rentrés 4. nous sommes partis 5. Nous sommes restés 6. nous sommes allés 7. Nous sommes revenus 8. nous sommes rentrés 9. ils sont rentrés 10. ils sont ressortis 11. ils sont montés 12. ils sont descendus

12 1. Pendant les vacances, ma femme et moi, nous nous sommes bien reposés et nous nous sommes baignés très souvent. 2. Les enfants se sont bien amusés au parc d'attractions. 3. Le week-end dernier, mes copines se sont retrouvées pour faire la fête. 4. Ma collègue Coralie s'est vraiment ennuyée à la conférence. 5. Hier soir, mon frère Charles s'est couché vers minuit. 6. Alors Juliette, tu t'es promenée seule hier après-midi ? 7. Les filles, vous vous êtes douchées ? Vous allez être en retard !

13 1. Elle s'est parfumée. 2. Mes amis se sont endormis tôt. 3. Sonia, Emma, vous vous êtes lavées ? 4. Je me suis rasé. 5. Nous nous sommes douchés.

14 1. Hier, *Lina est sortie avec des copains*. Elle s'est préparée pendant deux heures. D'abord, elle s'est douchée. Ensuite, elle s'est maquillée, puis elle s'est habillée et elle s'est coiffée.
2. Hier matin, ma femme, les enfants et moi, nous nous sommes réveillés vers 6 h 30. Je me suis levé tout de suite. Ma femme et les enfants se sont levés plus tard. Je me suis lavé, je me suis rasé et je me suis habillé. Ensuite, les enfants se sont douchés et se sont préparés. Nous nous sommes retrouvés tous ensemble au petit-déjeuner.

D La forme négative

15 1. Je n'ai pas joué au tennis dimanche dernier.
2. Elle n'est pas retournée à la piscine. **3.** Nous ne nous sommes pas baignées ce matin. **4.** Vous ne vous êtes pas promenés dans le parc ? **5.** Ils ne sont pas allés au cinéma hier soir. **6.** Je ne me suis pas reposé pendant les vacances.

16 Cette année, Matthias n'est pas parti en vacances en février. Il n'a pas pris le train, il n'est pas aller dans les Alpes. Il n'a pas loué un appartement près des pistes de ski. Il n'a pas fait de ski. Il ne s'est pas reposé.

17 1. Oui, nous ne nous sommes pas reposé(e)s.
2. Évidemment, il ne s'est pas réveillé à l'heure.
3. J'ai fait la fête, je ne me suis pas couchée. **4.** C'est normal, elle ne s'est pas maquillée. **5.** Ah bon ? Vous ne vous êtes pas amusés ? **6.** Désolée, je ne me suis pas levée assez tôt !

BILAN

❶ 🎧 31 **1.** On a écouté de la musique.
2. Il est parti en vacances.
3. J'ai visité la ville.
4. Ils se sont perdus.
5. Elles ont vu un film.
6. Il ne s'est pas reposé.
7. Elles sont allées au théâtre.
8. Vous avez fait des photos.
9. Nous sommes sortis en boîte.
10. Je me suis amusé.

Avoir : 1, 3, 5, 8
Être : 2, 4, 6, 7, 9, 10

❷ 1. avez **2.** êtes **3.** ai **4.** suis **5.** avez **6.** ai **7.** sont **8.** ont **9.** est **10.** ont

❸ 1. nous ne nous sommes pas rencontrés **2.** je ne me suis pas présenté **3.** Vous n'êtes pas allée **4.** je n'ai pas pris **5.** je suis restée **6.** nous nous sommes vus **7.** Vous n'avez pas gagné **8.** Vous n'avez pas joué **9.** Vous n'avez pas eu **10.** vous n'avez pas allumé **11.** Vous n'avez pas regardé **12.** je n'ai pas pu **13.** j'ai travaillé **14.** je suis rentré **15.** je me suis couché

❹ Salut Lucie,
Je suis en France en ce moment et je voyage beaucoup. Le week-end dernier, je suis allée à Nice. Samedi matin, j'ai visité la ville et j'ai déjeuné dans un restaurant niçois. Je me suis installée sur la plage l'après-midi et je me suis baignée. Le soir, j'ai fait une belle promenade sur le port. Dimanche matin, je ne me suis pas levée tard, je n'ai pas fait la grasse matinée. Je suis partie pour Monaco. J'ai visité le palais. J'ai acheté des cartes postales et je me suis assise à la terrasse d'un café. En fin d'après-midi, je suis retournée à Nice en train et j'ai repris l'avion pour Paris. Week-end génial !
Bisous. Cécilia

❺ Vol rue de la Roquette Le voleur est sorti de chez lui à 7 heures. À 7 heures 20, il est arrivé devant l'immeuble situé 70, rue de la Roquette. Il a garé sa voiture. La gardienne a remarqué cette voiture rouge. Il est entré dans le bâtiment, il est monté au 6e étage et il est resté deux heures dans l'appartement n° 64. La gardienne n'a pas vu quand il est redescendu. La police a interrogé les voisins et a arrêté un suspect.

CHAPITRE*

16 Les homophones

A Les homophones *a / à*

1 1. a **2.** à **3.** a **4.** à **5.** a **6.** à **7.** a **8.** a

2 🎧 32 **Ex. :** Paul a une voiture.
1. Il va à l'aéroport chercher son fils Arthur.
2. Il part de chez lui à 18 heures.
3. Il y a du trafic.
4. L'avion d'Arthur arrive à l'heure.
5. Arthur envoie un texto à Paul.
6. Il y a beaucoup de voyageurs.
7. Arthur présente son passeport à la douane.
8. Il n'a pas pris de valises.
9. Il sort à la porte B.
10. Ensemble, ils rentrent à la maison.
a : 3, 6, 8
à : 1, 2, 4, 5, 7, 9, 10

3 1. à Lyon **2.** à Londres **3.** il y a **4.** Il a **5.** à la City **6.** il a **7.** Il n'a pas **8.** Il a **9.** à Bruxelles **10.** à Lyon

B Les homophones *est / et*

4 1. est **2.** est **3.** est **4.** et **5.** et **6.** est **7.** et **8.** est

5 🎧 33 **Ex. :** Une omelette et une salade, s'il vous plaît.
1. Je prends de l'eau et un café.
2. La tarte est délicieuse.
3. Ce n'est pas bon !

4. Tu prends du fromage et un dessert ?

5. On regarde la carte et on commande.

6. Ce menu est cher.

7. Le service est compris ?

8. Le steak n'est pas assez cuit.

9. On adore les plats et on vient souvent.

10. Vous prenez une entrée et un plat ?

Est : **2, 3, 6, 7, 8**
Et : **4, 5, 9, 10**

6 1. Luc est **2.** Il n'est jamais **3.** et **4.** Il n'est pas **5.** Et **6.** il est **7.** Sandrine, elle, est **8.** et

C Les homophones *ont* / *on*

7 1. ont **2.** on dîne **3.** on a **4.** on n'a pas **5.** Les enfants ont **6.** Ils n'ont pas **7.** on n'a pas **8.** on ne va pas

8 (34) **Ex. :** Nos amis itali pasens ont une maison sur la Côte d'Azur.

1. On va souvent chez eux.

2. On fait du bateau avec eux.

3. Ils ont une piscine.

4. Ils ont beaucoup de temps libre.

5. On passe des moments agréables ensemble.

6. Ils ont aussi une grande voiture.

7. On va souvent pique-niquer sur une petite plage.

8. Et on n'a jamais envie de repartir.

9. On est amis depuis longtemps.

10. L'année dernière, ils ont fêté leurs 20 ans de mariage.

Ont : **3, 4, 6, 10**
On : **1, 2, 5, 7, 8, 9**

9 1. le directeur et sa femme ont créé **2.** Ils ont voulu **3.** On propose **4.** nos clients ont **5.** on leur conseille **6.** on a offert **7.** beaucoup de clients ont adoré **8.** On a **9.** des lycéens qui ont étudié

D Les homophones *sont* / *son*

10 1. sont **2.** son **3.** son **4.** son **5.** sont **6.** sont **7.** sont **8.** sont

11 1. Son entreprise **2.** ils ne sont pas signés **3.** Ils sont bien écrits. **4.** M. Legendre et ses collègues sont **5.** Ils sont **6.** Son emploi du temps **7.** son bureau **8.** son secrétariat

12 1. Son fils **2.** son frère **3.** Ils sont **4.** Ils sont **5.** son mari **6.** son projet **7.** des enfants qui sont **8.** ils sont d'accord

E Les homophones *se* / *ce*

13 1. ce **2.** se **3.** Ce **4.** ce **5.** se **6.** C'est **7.** Ce **8.** se

14 (35) **Ex. :** Voici Diego et Rosa, ce sont mes voisins espagnols.

1. Mon ami se lève tôt.

2. Ici, c'est mon jardin.

3. On se prépare pour la fête.

4. Mes amis s'organisent bien.

5. Je pense que c'est intéressant.

6. Les gens s'inscrivent à la visite.

7. Ce film est génial.

8. On se retrouve à 15 heures.

9. Ce soir, on va au théâtre.

10. Ce n'est pas amusant.

Se : **1, 3, 8**　　　　Ce : **7, 9, 10**
S' : **4, 6**　　　　　　C' : **2, 5**

15 1. Ce sont **2.** Ils se présentent **3.** ils se regardent **4.** ils s'arrêtent **5.** C'est drôle **6.** ce silence **7.** s'interroge **8.** Qu'est-ce qui **9.** se passe **10.** c'est

F Les homophones *ou* / *où*

16 1. ou **2.** ou **3.** Où **4.** où **5.** ou **6.** ou **7.** où **8.** ou

17 (36) **Ex. :** Où est la réunion ?

1. En haut ou en bas ?

2. Dans le bureau de Camille ou de Sabine ?

3. Où se trouve la cafétéria ?

4. Où est-ce que je pose le dossier ?

5. Tu téléphones ou tu envoies un mél ?

6. Vous travaillez où ?

7. Je ne sais pas où est mon ordinateur.

8. Les toilettes sont où, s'il vous plaît ?

9. Vous travaillez ici ou dans le bureau du fond ?

10. À midi, vous déjeunez où ?

Ou : **1, 2, 5, 9**
Où : **3, 4, 6, 7, 8, 10**

18 1. ou **2.** où **3.** ou **4.** ou **5.** où **6.** ou **7.** où

BILAN

❶ 1. Quand on arrive à la montagne il y a de la neige. **2.** Les amis vont skier et moi je vais marcher ou rester à l'hôtel. **3.** On se retrouve et on aime dîner ensemble. **4.** C'est une station internationale et animée. **5.** Ils ont un appartement ou un chalet. **6.** Ce sont des vacances idéales pour se reposer.

❷ (37) Le film *À vous !* connaît un grand succès en France et à l'étranger : c'est normal. Il présente notre société et il parle de ses problèmes. Les photos de notre planète sont belles et dramatiques. On est choqué : il y a de la pollution partout ! Notre planète est vraiment en danger, c'est certain. Vous devez voir ce film et il faut le montrer aux jeunes : c'est un film très important !

❸ 1. C'est **2.** est **3.** a **4.** son **5.** On **6.** son **7.** se **8.** c' **9.** où **10.** s' **11.** a **12.** s' **13.** se **14.** s' **15.** ont **16.** se **17.** ce **18.** c'

INDEX GRAMMATICAL

Les numéros renvoient aux chapitres.

INDEX DES OBJECTIFS FONCTIONNELS

Les numéros renvoient aux chapitres.

L'action

❯ Pour donner :
  – une information 6
  – une instruction 9, 12

❯ Pour exprimer
  – une habitude 2, 11
  – la nécessité et l'interdiction 3, 5
  – une action future 14

❯ Pour formuler un projet 14

❯ Pour indiquer :
  – la fréquence 11
  – une durée ou une période 11
  – une explication ou une précision 13
  – un moment ou une date 7, 11

❯ Pour parler des activités 2

❯ Pour poser des questions et demander des précisions 4

❯ Pour organiser un événement 12, 14

❯ Pour raconter :
  – des événements passés 15
  – un souvenir 15

❯ Pour refuser une proposition 5

Le lieu

❯ Pour caractériser un lieu 7

❯ Pour désigner lieu 7

❯ Pour situer une décrire un lieu 8, 10

❯ Pour situer une chose dans l'espace 10

❯ Pour indiquer un itinéraire 10

❯ Pour indiquer la provenance 10

Les choses

❯ Pour caractériser une chose 7, 13

❯ Pour décrire une chose 3, 6, 7

❯ Pour énumérer des choses 3, 6

❯ Pour exprimer une quantité ou une mesure 9

❯ Pour indiquer l'appartenance 7

❯ Pour indiquer l'heure, la météo 3, 9

❯ Pour présenter une chose 3

❯ Pour s'informer sur une chose 4, 12

❯ Pour situer une chose dans l'espace 10

La personne

❯ Pour caractériser une personne 7, 13

❯ Pour décrire une personne 3, 6, 7, 8

❯ Pour demander et donner :
  – des informations 2, 4, 6
  – des nouvelles 2
  – une précision 4

❯ Pour exprimer :
  – une opinion 3, 8
  – un désaccord 5
  – ses goûts 5, 6, 9, 13

❯ Pour faire le portrait d'une personne 8

❯ Pour indiquer :
  – l'âge 1
  – la nationalité 1
  – la profession 1
  – la situation de famille 1
  – les relations entre des personnes 12

❯ Pour refuser une proposition 5

❯ Pour se présenter/présenter une personne 2, 3

❯ Pour s'informer sur une personne 8

Imprimé en janvier 2020 en Italie par L.E.G.O. S.p.A.

Dépôt légal : janvier 2019 - Edition 02

76/7310/4